Julia Braun-Podeschwa
Charlotte Habersack
Angela Pude

MENSCHEN

Deutsch als Fremdsprache
Kursbuch

Hueber Verlag

Für die hilfreichen Hinweise bei der Entwicklung des Lehrwerks danken wir:
Ebal Bolacio, Goethe-Institut/UERJ, Brasilien
Esther Haertl, Nürnberg, Deutschland
Miguel A. Sánchez, EOI Léon, Spanien
Claudia Tausche, Ludwigsburg, Deutschland

Fachliche Beratung:
Prof. Dr. Christian Fandrych, Herder-Institut, Universität Leipzig

Lerner-DVD-ROM:
Valeska Hagner, München

Die Inhalte der Lerner-DVD-ROM finden Sie auch unter
www.hueber.de/menschen/lernen, Code: c4257fe99z

3. 2. 1. | Die letzten Ziffern
2018 17 16 15 14 | bezeichnen Zahl und Jahr des Druckes.
Alle Drucke dieser Auflage können, da unverändert,
nebeneinander benutzt werden.
1. Auflage

Umschlaggestaltung: Sieveking · Agentur für Kommunikation, München
Fotoproduktion: Iciar Caso, Hueber Verlag, München
Fotograf: Florian Bachmeier, München
Zeichnungen: Michael Mantel, www.michaelmantel.de
Layout und Satz: Sieveking · Agentur für Kommunikation, München
Verlagsredaktion: Marion Kerner, Gisela Wahl, Hueber Verlag, München
Druck und Bindung: Firmengruppe APPL, aprinta druck, Wemding
Printed in Germany
ISBN 978-3-19-501903-3

INHALT

Piktogramme und Symbole

Hörtext auf CD ▶1 02

Aufgabe im Arbeitsbuch AB

Aufgabe auf der Lerner-DVD-ROM Beruf

Grammatik

GRAMMATIK
wegen + Genitiv
wegen des Dialekts / des Missverständnisses / ...

Kommunikation

KOMMUNIKATION
eine Meinung äußern
Da bin ich gleicher / (völlig) anderer Meinung.
Das sehe ich auch so / nicht so.
Dafür/Dagegen spricht, dass ...
Meiner Meinung/Ansicht nach ...
Davon halte ich nicht viel, denn ...

INHALT

Liebe Leserinnen, liebe Leser,

Menschen ist ein Lehrwerk für Anfänger. Es führt Lernende ohne Vorkenntnisse in jeweils zwei Bänden zu den Sprachniveaus A1, A2 und B1 des Gemeinsamen Europäischen Referenzrahmens und bereitet auf die gängigen Prüfungen der jeweiligen Sprachniveaus vor.

Menschen geht bei seiner Themenauswahl von den Vorgaben des Gemeinsamen Europäischen Referenzrahmens aus und greift zusätzlich Inhalte aus dem aktuellen Leben in Deutschland, Österreich und der Schweiz auf. Das Kursbuch beinhaltet 12 kurze Lektionen, die in vier Modulen mit je drei Lektionen zusammengefasst sind.

Das Kursbuch

Die 12 Lektionen des Kursbuchs umfassen je vier bzw. sechs Seiten und folgen einem transparenten, wiederkehrenden Aufbau:

Aus diesem Grund gab es ein Missverständnis. 13

Einstiegsseite
Der Einstieg in jede Lektion erfolgt durch ein interessantes Foto, das mit einem „Hörbild" kombiniert wird und den Einstiegsimpuls darstellt. Dazu gibt es erste Aufgaben, die in die Thematik der Lektion einführen. Die Einstiegssituation wird auf den Doppelseiten wieder aufgegriffen und vertieft. Außerdem finden Sie hier einen Kasten mit den Lernzielen der Lektion.

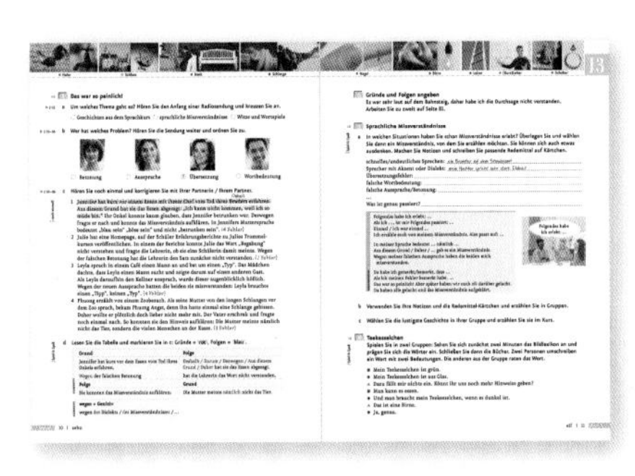

Doppelseite(n)
Ausgehend von den Einstiegen werden auf den Doppelseiten neue Strukturen und Redemittel eingeführt und geübt. Das neue Wortfeld der Lektion wird in der Kopfzeile prominent und gut memorierbar als „Bildlexikon" präsentiert. Übersichtliche Grammatik-, Info- und Redemittelkästen machen den neuen Stoff bewusst. In den folgenden Aufgaben werden die Strukturen zunächst meist in gelenkter, dann in freierer Form geübt. In die Doppelseiten sind zudem Übungen eingebettet, die sich im Anhang auf den „Aktionsseiten" befinden. Diese Aufgaben ermöglichen echte Kommunikation im Kursraum und bieten authentische Sprech- und Schreibanlässe.

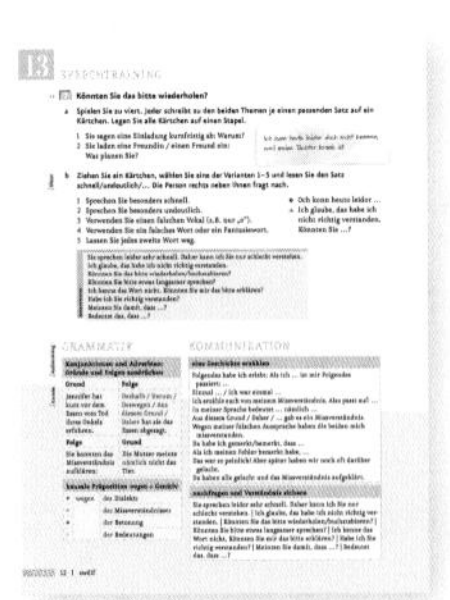

Abschlussseite
Auf der vierten Seite jeder Lektion ist eine Aufgabe zum Sprechtraining, Schreibtraining oder zu einem Mini-Projekt zu finden, die den Stoff der Lektion nochmals aufgreift. Als Schlusspunkt jeder Lektion werden hier die neuen Strukturen und Redemittel systematisch zusammengefasst und transparent dargestellt.

Modul-Plus-Seiten
Vier zusätzliche Seiten runden jedes Modul ab und bieten weitere interessante Informationen und Impulse, die den Stoff des Moduls nochmals über andere Kanäle verarbeiten lassen.

Lesemagazin:	Magazinseite mit vielfältigen Lesetexten und Aufgaben
Film-Stationen:	Fotos und Aufgaben zu den Filmsequenzen der *Menschen*-DVD
Projekt Landeskunde:	ein interessantes Projekt, das ein landeskundliches Thema aufgreift und einen zusätzlichen Lesetext bietet
Ausklang:	ein Lied mit Anregungen für einen kreativen Einsatz im Unterricht

Die DVD-ROM
Mit der eingelegten DVD-ROM kann der Stoff aus *Menschen* zu Hause selbstständig vertieft werden. Sie ist ein fakultatives Zusatzprogramm für die Lernenden, ist passgenau mit dem Kursbuch verzahnt und bietet viele interessante und interaktive Lernangebote.

Folgende Verweise führen zur DVD-ROM:

interessant?	... führt zu einem Lese- oder Hörtext (mit Didaktisierung) oder Zusatzinformationen, die das Thema aufgreifen und aus einem anderen Blickwinkel betrachten
noch einmal?	... hier kann man den KB-Hörtext noch einmal hören und andere Aufgaben dazu lösen
Spiel & Spaß	... führt zu einer kreativen, spielerischen Aufgabe zum Thema
Beruf	... erweitert oder ergänzt das Thema um einen beruflichen Aspekt
Diktat	... führt zu einem kleinen interaktiven Diktat
Audiotraining	... Automatisierungsübungen für zu Hause und unterwegs zu den Redemitteln und Strukturen
Karaoke	... interaktive Übungen zum Nachsprechen und Mitlesen

Die DVD-ROM-Inhalte sind auch über den Lehrwerkservice unter www.hueber.de/menschen zugänglich. Der Zugangscode lautet: c4257fe99z

Im Lehrwerkservice finden Sie außerdem zahlreiche weitere Materialien zu *Menschen* sowie die Audio-Dateien zum Kursbuch als MP3-Downloads.

Viel Spaß beim Lernen und Lehren mit *Menschen* wünschen Ihnen

Autoren und Verlag

DIE ERSTE STUNDE IM KURS: *MEINE PERSON LIEBT ...*

1 Meine Hobbys und Interessen

a Arbeiten Sie zu zweit und erzählen Sie von Ihrem Lieblingshobby oder Ihrem Lieblingsinteresse.

■ Hallo! Ich bin Janis.
▲ Hallo! Ich heiße Eleni. Welches Hobby oder Interesse ist dir besonders wichtig?
■ Ich liebe Musik und singe in einem Chor.
▲ Was für Lieder singt ihr?
■ Unser Chor ist ein Weltmusik-Chor. Wir singen Volksmusik aus verschiedenen Ländern. Am besten gefallen mir georgische Gesänge. ...

b Was haben Sie von Ihrer Partnerin / Ihrem Partner erfahren? Schreiben Sie einen kleinen Notizzettel. Schreiben Sie statt des Namens ein X.

X liebt Musik und singt in einem Chor. Der Chor ist ein Weltmusik-Chor, der auch regelmäßig Auftritte hat. Besonders mag die Person Volksmusik aus Georgien. Sie liebt die georgischen Gesänge. Der Chor war vor einem Jahr für zwei Wochen in Georgien und hat dort einen Gesangsworkshop besucht. ...

c Wer ist das? Hängen Sie die Zettel auf. Lesen Sie sie und erraten Sie dann die passenden Personen.

■ Maria, du singst doch gern. Bist du die Person, die im Weltmusik-Chor singt und georgische Lieder mag?
▼ Nein, das bin ich nicht.
● Ich denke, dass du das bist, Janis. Du warst doch schon mal in Georgien, oder?
■ Ja, du hast recht.

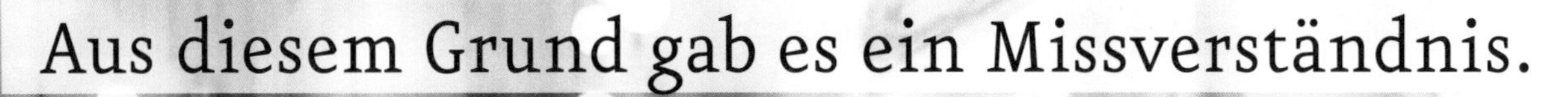

Aus diesem Grund gab es ein Missverständnis. 13

Hören/Sprechen: von Missverständnissen erzählen: *Folgendes habe ich erlebt: ...;* nachfragen und Verständnis sichern: *Habe ich Sie richtig verstanden?*

Wortfelder: Wörter mit mehreren Bedeutungen, Sprache

Grammatik: Konjunktionen und Adverbien (Folgen und Gründe): *deshalb, darum, deswegen, daher, aus diesem Grund, nämlich;* Präposition *wegen*

1 Was meinen Sie? Sehen Sie das Foto an und beantworten Sie die Fragen.

Wo sind die Personen?
Worüber lachen sie?

2 Worauf hast du Appetit?

▶ 2 01 **a** Hören Sie und erzählen Sie die Geschichte nach.

Restaurant | „Rechtsanwalt an Essigsoße" | nachfragen | erklären | verstehen | Avocado | Übersetzungsfehler | Advokat | lachen | bestellen

b Kennen Sie ähnliche Situationen? Erzählen Sie.

● Hahn ● Schloss ● Bank ● Schlange

AB **3** **Das war so peinlich!**

▶ 2 02 **a Um welches Thema geht es? Hören Sie den Anfang einer Radiosendung und kreuzen Sie an.**

○ Geschichten aus dem Sprachkurs ○ sprachliche Missverständnisse ○ Witze und Wortspiele

▶ 2 03–06 **b Wer hat welches Problem? Hören Sie die Sendung weiter und ordnen Sie zu.**

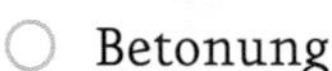

○ Betonung ○ Aussprache ○ Übersetzung ○ Wortbedeutung

▶ 2 03–06 **c Hören Sie noch einmal und korrigieren Sie mit Ihrer Partnerin / Ihrem Partner.**

noch einmal?

1 Jennifer hat kurz vor einem Essen mit ihrem Chef vom Tod ihres Bruders erfahren. Aus diesem Grund hat sie das Essen abgesagt: „Ich kann nicht kommen, weil ich so müde bin.“ Ihr Onkel konnte kaum glauben, dass Jennifer betrunken war. Deswegen fragte er nach und konnte das Missverständnis aufklären. In Jennifers Muttersprache bedeutet „blau sein“ „böse sein“ und nicht „betrunken sein“. (4 Fehler)

2 Julie hat eine Homepage, auf der Schüler Erfahrungsberichte zu Julies Trommelkursen veröffentlichen. In einem der Berichte konnte Julie das Wort „Begabung“ nicht verstehen und fragte die Lehrerin, ob sie eine Schülerin damit meinte. Wegen der falschen Betonung hat die Lehrerin den Satz zunächst nicht verstanden. (2 Fehler)

3 Leyla sprach in einem Café einen Mann an und bat um einen „Typ“. Das Mädchen dachte, dass Leyla einen Mann sucht und zeigte darum auf einen anderen Gast. Als Leyla daraufhin den Kellner ansprach, wurde dieser augenblicklich höflich. Wegen der neuen Aussprache hatten die beiden sie missverstanden: Leyla brauchte einen „Tipp“, keinen „Typ“. (4 Fehler)

4 Phuong erzählt von einem Zoobesuch. Als seine Mutter von den langen Schlangen vor dem Zoo sprach, bekam Phuong Angst, denn ihn hatte einmal eine Schlange gebissen. Daher wollte er plötzlich doch lieber nicht mehr mit. Der Vater erschrak und fragte noch einmal nach. So konnten sie den Hinweis aufklären: Die Mutter meinte nämlich nicht das Tier, sondern die vielen Menschen an der Kasse. (3 Fehler)

Spiel & Spaß

d Lesen Sie die Tabelle und markieren Sie in c: Gründe = rot, Folgen = blau.

GRAMMATIK

Grund	**Folge**
Jennifer hat kurz vor dem Essen vom Tod ihres Onkels erfahren.	Deshalb / Darum / Deswegen / Aus diesem Grund / Daher hat sie das Essen abgesagt.
Wegen der falschen Betonung	hat die Lehrerin das Wort nicht verstanden.
Folge	**Grund**
Sie konnten das Missverständnis aufklären:	Die Mutter meinte nämlich nicht das Tier.

GRAMMATIK

wegen + Genitiv

wegen des Dialekts / des Missverständnisses / …

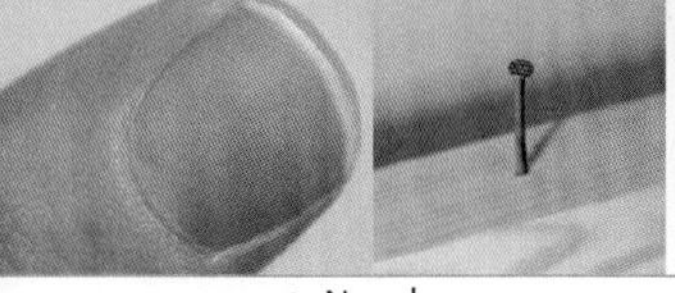

• Nagel

• Birne

• Leiter

• (Kurs)Leiter

• Schalter

4 Gründe und Folgen angeben

Es war sehr laut auf dem Bahnsteig, daher habe ich die Durchsage nicht verstanden.
Arbeiten Sie zu zweit auf Seite 81.

AB

5 Sprachliche Missverständnisse

Spiel & Spaß

a In welchen Situationen haben Sie schon Missverständnisse erlebt? Überlegen Sie und wählen Sie dann ein Missverständnis, von dem Sie erzählen möchten. Sie können sich auch etwas ausdenken. Machen Sie Notizen und schreiben Sie passende Redemittel auf Kärtchen.

schnelles/undeutliches Sprechen: *ein Beamter auf dem Standesamt …*
Sprecher mit Akzent oder Dialekt: *mein Nachbar spricht sehr stark Dialekt …*
Übersetzungsfehler: ____________
falsche Wortbedeutung: ____________
falsche Aussprache/Betonung: ____________
…
Was ist genau passiert? ____________

KOMMUNIKATION

Folgendes habe ich erlebt: …
Als ich …, ist mir Folgendes passiert: …
Einmal / Ich war einmal …
Ich erzähle euch von meinem Missverständnis. Also passt auf: …

In meiner Sprache bedeutet … nämlich …
Aus diesem Grund / Daher / … gab es ein Missverständnis.
Wegen meiner falschen Aussprache haben die beiden mich missverstanden.

Da habe ich gemerkt/bemerkt, dass …
Als ich meinen Fehler bemerkt habe, …
Das war so peinlich! Aber später haben wir noch oft darüber gelacht.
Da haben alle gelacht und das Missverständnis aufgeklärt.

b Verwenden Sie Ihre Notizen und die Redemittel-Kärtchen und erzählen Sie in Gruppen.

c Wählen Sie die lustigste Geschichte in Ihrer Gruppe und erzählen Sie sie im Kurs.

AB

6 Teekesselchen

Spiel & Spaß

Spielen Sie in zwei Gruppen: Sehen Sie sich zunächst zwei Minuten das Bildlexikon an und prägen Sie sich die Wörter ein. Schließen Sie dann die Bücher. Zwei Personen umschreiben ein Wort mit zwei Bedeutungen. Die anderen aus der Gruppe raten das Wort.

■ Mein Teekesselchen ist grün.
● Mein Teekesselchen ist aus Glas.
▲ Dazu fällt mir nichts ein. Könnt ihr uns noch mehr Hinweise geben?
■ Man kann es essen.
● Und man braucht mein Teekesselchen, wenn es dunkel ist.
▲ Das ist eine Birne.
● Ja, genau.

SPRECHTRAINING

AB 7 **Könnten Sie das bitte wiederholen?**

a **Spielen Sie zu viert. Jeder schreibt zu den beiden Themen je einen passenden Satz auf ein Kärtchen. Legen Sie alle Kärtchen auf einen Stapel.**

1 Sie sagen eine Einladung kurzfristig ab: Warum?
2 Sie laden eine Freundin / einen Freund ein: Was planen Sie?

Ich kann heute leider doch nicht kommen, weil meine Tochter krank ist.

Diktat

b **Ziehen Sie ein Kärtchen, wählen Sie eine der Varianten 1–5 und lesen Sie den Satz schnell/undeutlich/... Die Person rechts neben Ihnen fragt nach.**

1 Sprechen Sie besonders schnell.
2 Sprechen Sie besonders undeutlich.
3 Verwenden Sie einen falschen Vokal (z.B. nur „o“).
4 Verwenden Sie ein falsches Wort oder ein Fantasiewort.
5 Lassen Sie jedes zweite Wort weg.

● Och konn heuto leidor ...
▲ Ich glaube, das habe ich nicht richtig verstanden. Könnten Sie ...?

KOMMUNIKATION

Sie sprechen leider sehr schnell. Daher kann ich Sie nur schlecht verstehen.
Ich glaube, das habe ich nicht richtig verstanden.
Könnten Sie das bitte wiederholen/buchstabieren?
Könnten Sie bitte etwas langsamer sprechen?
Ich kenne das Wort nicht. Könnten Sie mir das bitte erklären?
Habe ich Sie richtig verstanden?
Meinten Sie damit, dass ...?
Bedeutet das, dass ...?

Audiotraining | Karaoke

GRAMMATIK

Konjunktionen und Adverbien: Gründe und Folgen ausdrücken

Grund	Folge
Jennifer hat kurz vor dem Essen vom Tod ihres Onkels erfahren.	Deshalb / Darum / Deswegen / Aus diesem Grund / Daher hat sie das Essen abgesagt.
Folge	**Grund**
Sie konnten das Missverständnis aufklären:	Die Mutter meinte nämlich nicht das Tier.

kausale Präposition *wegen* + Genitiv

●	wegen	des Dialekts
●		des Missverständnisses
●		der Betonung
●		der Bedeutungen

KOMMUNIKATION

eine Geschichte erzählen

Folgendes habe ich erlebt: Als ich ... ist mir Folgendes passiert: ...
Einmal ... / Ich war einmal ...
Ich erzähle euch von meinem Missverständnis. Also passt auf: ...
In meiner Sprache bedeutet ... nämlich ...
Aus diesem Grund / Daher / ... gab es ein Missverständnis.
Wegen meiner falschen Aussprache haben die beiden mich missverstanden.
Da habe ich gemerkt/bemerkt, dass ...
Als ich meinen Fehler bemerkt habe, ...
Das war so peinlich! Aber später haben wir noch oft darüber gelacht.
Da haben alle gelacht und das Missverständnis aufgeklärt.

nachfragen und Verständnis sichern

Sie sprechen leider sehr schnell. Daher kann ich Sie nur schlecht verstehen. | Ich glaube, das habe ich nicht richtig verstanden. | Könnten Sie das bitte wiederholen/buchstabieren? | Könnten Sie bitte etwas langsamer sprechen? | Ich kenne das Wort nicht. Könnten Sie mir das bitte erklären? | Habe ich Sie richtig verstanden? | Meinten Sie damit, dass ...? | Bedeutet das, dass ...?

Die Teilnahme ist auf eigene Gefahr.

14

Sprechen: etwas empfehlen: *Dieser Kurs ist für alle, die …*

Lesen: Kursprogramm

Schreiben: Kursangebot

Wortfeld: Weiterbildung

Grammatik: Partizip Präsens und Perfekt als Adjektive: *faszinierende Einblicke, versteckte Talente*

1 Gutes Gelingen!

a Sehen Sie das Foto an und beantworten Sie die Fragen. Was meinen Sie?

Wo sind die Personen? Was machen sie? Warum machen sie das?

▶ 2 07 **b Hören Sie und kreuzen Sie an.**

1 Die Personen besuchen ○ einen Kletterkurs. ○ ein Seminar für mehr Selbstvertrauen.
2 Der Trainer ○ macht die Übung vor. ○ erklärt die Übung.
3 Jutta möchte ○ die Übung ausprobieren. ○ sich lieber nicht rückwärts fallen lassen.

2 Haben Sie so eine Aktivität schon einmal gemacht? Erzählen Sie.

AB **3** **Das neue Semester hat begonnen.**

interessant?

a Zu welchen Themenbereichen aus dem Bildlexikon passen die Kurse? Lesen Sie das Kursprogramm und notieren Sie.

Das Programm Ihrer Volkshochschule –
Das neue Semester hat begonnen.
Melden Sie sich jetzt an und sichern Sie sich Ihren Platz!

In über 2000 Angeboten finden Sie faszinierende Einblicke in die unterschiedlichsten Themen: Beruf und Wirtschaft, Kunst und Kultur, Sprachen und interkulturelle Bildung, Gesellschaft und Politik. Bei uns können Sie Interessantes über fremde Länder oder unsere Region erfahren. Sie können versteckte Talente entdecken, Ihre kreativen Fähigkeiten ausbauen oder etwas für Ihre berufliche Karriere tun ...

Hier eine Auswahl aus unserem Frühjahrsprogramm:

1 Sicher Klettern – Samstagskurs
Klettern ist eine herausfordernde Sportart. Beim Klettern lernt man Ausdauer, Konzentration und gegenseitiges Vertrauen. Daher eignet sich Klettern prima, um körperlich und geistig fit zu bleiben. In unserem Tageskurs haben Sie die Möglichkeit, diesen Sport kennenzulernen. Sie lernen die entscheidenden Grundlagen. Die Teilnahme ist auf eigene Gefahr, wir übernehmen keine Haftung für Unfälle. Bitte eine bequeme Hose, Turnschuhe und etwas zu trinken mitbringen.

---

2 Musik aus dem Internet – wie geht das? (Seniorenprogramm)
Im Kurs lernen Sie, auf welchen Wegen Sie aktuelle Musik aus dem Internet (legal) herunterladen können und welche Software Sie zum Abspielen und Verwalten der Musikstücke am PC benötigen. Ganz praktisch üben wir, wie Sie ausgewählte Musikstücke zu Ihrer persönlichen Musikbibliothek hinzufügen können.

---

3 Wie verhalte ich mich in Berufssituationen am Telefon?
Mit Telefongesprächen wird häufig der erste berufliche Kontakt geknüpft. Anders als in persönlichen Gesprächen müssen Sie ohne Gestik, Mimik und Blickkontakt kommunizieren. Natürlichkeit, der richtige Ton und die passende Strategie sind daher für ein überzeugendes und sicheres Gesprächsverhalten extrem wichtig.
Seminarinhalte für Einsteiger: Der erste Eindruck zählt – Wie schaffe ich ein positives Gesprächsklima?, Aktives Zuhören und Fragetechniken, Argumentationstechniken, Verhalten in schwierigen Situationen, Atem- und Stimmübungen

---

4 Wir singen Lieder aus aller Welt
Dieser Kurs ist für alle, die Freude am Singen haben. Unser Chor singt ausgewählte Lieder aus verschiedenen Zeiten und Stilrichtungen. Außerdem machen wir Übungen für die Stimme. Erfahrung im Chorsingen ist nicht notwendig.

---

5 1001 Küche – Die Küche des Orients
Die Küche des Orients ist reich an Ideen und Geschmacksrichtungen. In diesem Kurs für Kochprofis werden wir exotische Gerichte mit duftenden Gewürzen und Kräutern zubereiten. Unsere Rezepte stammen aus Syrien, Afghanistan, Irak und der Türkei. Zu jeder Mahlzeit gibt es landestypische Getränke. Bitte mitbringen: Küchenschürze, Küchenhandtücher, Behälter für Kostproben.

Heim und Garten

---

6 Schneiderwerkstatt für Fortgeschrittene: selbst gemachte Sommerkleidung
Der Sommer steht vor der Tür, Sie brauchen ein schickes Sommerkleid und kennen bereits die Grundtechniken des Nähens? In der Werkstatt lernen Sie, wie Sie Kleidungsstücke entwerfen, nähen oder ändern können. Bitte mitbringen: Stoffreste, Nähgarn, Nähnadeln, Bleistift, Schere und viel Fantasie!

Spiel & Spaß

b **Lesen Sie das Kursprogramm noch einmal und machen Sie eine Tabelle. Wenn die Information fehlt, schreiben Sie „keine Angaben".**

Kurs	Was können Sie lernen?	Welche Voraussetzungen/ Vorkenntnisse brauchen Sie?	Was sollten Sie mitbringen?
Sicher Klettern	Ausdauer, ...	keine Angaben	bequeme Hose, Turnschuhe, ...

c **Lesen Sie die Einleitung in a noch einmal und ergänzen Sie die Tabelle. Suchen Sie dann weitere Beispiele im Kursprogramm und markieren Sie die Endungen.**

GRAMMATIK

Partizip Präsens als Adjektiv: Einblicke, die faszinieren = faszinierende Einblicke *auch so:* eine herausfordernde Sportart,	das lernende Kind
Partizip Perfekt als Adjektiv: Talente, die versteckt sind = versteckte Talente *auch so:* ____________	die gelernten Vokabeln

Spiel & Spaß

d **Ergänzen Sie in der richtigen Form.**

Deutsch als Fremd- und Zweitsprache
Sie möchten einen Intensivkurs besuchen? Sie suchen einen staatlich geförderten (gefördert) Kurs? Sie brauchen einen ____________ (vorbereiten) Kurs für den Beruf? Sie möchten ____________ (ausgewählt) Fertigkeiten üben oder ____________ (fehlen) Grammatikkenntnisse auffrischen? Wir bieten ein ____________ (umfassen) Kursangebot. Sie können während des ganzen Jahres beginnen, neue Kurse belegen oder in ____________ (laufen) Kurse einsteigen. Bitte nutzen Sie vor Kursbeginn unsere Beratung, damit wir die ____________ (passen) Gruppe für Sie finden können.

e **Wörter im Text verstehen: Arbeiten Sie zu zweit auf** **Seite 82.**

4 Kursempfehlungen

a **Welche Interessen hat Ihre Partnerin / Ihr Partner? Was meinen Sie? Machen Sie Notizen und empfehlen Sie passende Kurse.**

1	Interessen:	Reisen, fremde Länder
2	Hobbys:	Sport: Wasserball und Tennis
3	Passende Themen:	Sprachen, Gesundheit & Ernährung

Kursempfehlungen:
Kletterkurs,
Sprachkurs

b **Überprüfen Sie Ihre Vermutungen.**

■ Du bist sehr sportlich. Daher denke ich, dass der Kletterkurs genau der richtige Kurs für dich ist. Wegen deiner vielen Reisen könnte ich mir aber auch vorstellen, dass du gut einen Sprachkurs machen könntest.

● Ja, du hast recht. Einen Kletterkurs würde ich gern besuchen. Sprachen interessieren mich allerdings nicht so sehr, obwohl ich viel reise.

AB **5 Erwachsenenbildung: Ihr Kursangebot**

Beruf

a Welchen Kurs möchten Sie anbieten? Machen Sie Notizen.

1	Kurs:	Würstchen-Kunde
2	Zielgruppe:	Interesse an regionalen Spezialitäten
3	Das lernen die Teilnehmer:	Geschichte, Bedeutung und Herstellung der Wurst
4	Erfahrungen/Vorkenntnisse:	nicht notwendig
5	Material:	Küchenschürze, Küchenhandtücher

Diktat

b Überlegen Sie sich einen Titel und schreiben Sie Ihr Kursangebot.

Deutsche Würstchen-Kunde

Frankfurter, Wiener, Thüringer oder Nürnberger? In Deutschland gibt es knapp 1500 verschiedene Wurstsorten. In diesem Kurs werden wir auf kulinarische Entdeckungsreise gehen. Dabei lernen Sie etwas über die Geschichte, die Bedeutung und die Herstellung der Wurst. Außerdem werden wir einige regionale Spezialitäten zubereiten. Bitte mitbringen: Küchenschürze, Küchenhandtücher.

KOMMUNIKATION

Sie interessieren sich für ... / Sie brauchen/möchten/sind ...? | Dieser Kurs ist für alle, die ... | In unserem/dem Kurs haben Sie die Möglichkeit, ... | In diesem Kurs werden wir ... | Im Kurs / Dabei / Beim ... lernen Sie / lernt man, ... | Ganz praktisch üben wir, ... | Außerdem machen wir ... | Erfahrungen/Vorkenntnisse sind notwendig / nicht notwendig.

c Hängen Sie die Kursangebote auf. Welchen Kurs würden Sie gern besuchen? Verteilen Sie Punkte.

Audiotraining | Karaoke

GRAMMATIK

Partizip Präsens als Adjektiv: Infinitiv + d + Adjektivendung

faszinierende Einblicke = Einblicke, die faszinieren
auch so: eine herausfordernde Sportart, die entscheidenden Grundlagen, die passende Strategie, ein überzeugendes Verhalten, duftende Gewürze

Partizip Perfekt als Adjektiv: Partizip Perfekt + Adjektivendung

versteckte Talente = Talente, die versteckt sind
auch so: ausgewählte Musikstücke, selbst gemachte Sommerkleidung, ausgewählte Lieder

KOMMUNIKATION

etwas empfehlen

Sie interessieren sich für ... / Sie brauchen/möchten/sind ...?
Dieser Kurs ist für alle, die ...
In unserem/dem Kurs haben Sie die Möglichkeit, ...
In diesem Kurs werden wir ...
Im Kurs / Dabei / Beim ... lernen Sie / lernt man, ...
Ganz praktisch üben wir, ...
Außerdem machen wir ...
Erfahrungen/Vorkenntnisse sind notwendig / nicht notwendig.

Schön, dass Sie da sind. 15

Hören/Sprechen: Vorstellungsgespräch: *Ich möchte gern etwas Neues machen und mich weiterentwickeln.*

Lesen: Stellenanzeigen, Bewerbungsschreiben

Schreiben: Bewerbungsschreiben

Wortfeld: Bewerbung

Grammatik: zweiteilige Konjunktionen *nicht nur … sondern auch, sowohl … als auch*

1 Jetzt mach du mal weiter!

a Sehen Sie das Foto an. Was ist die Situation und was machen die Personen? Was meinen Sie?

> Ich denke, dass die Personen zusammen in einer WG-Küche sitzen. Vermutlich haben sie überraschend Besuch bekommen. Vielleicht …

▶ 2 08 **b** Hören Sie und vergleichen Sie mit Ihren Vermutungen aus a.

2 Haben Sie Erfahrung mit Bewerbungsgesprächen?

Wie haben Sie sich vorbereitet / würden Sie sich vorbereiten? Erzählen Sie.

3 Überfliegen Sie die Stellenanzeigen und ergänzen Sie die passenden Berufe.

Buchhalter | Callcenteragenten | Fremdsprachenkorrespondenten | ~~Fremdsprachensekretär~~

(A)

Wir sind ein international ausgerichtetes Unternehmen und suchen schnellstmöglich einen ____________________ (m/w)

Das erwartet Sie: Übersetzen von Fachtexten, Präsentationen, Korrespondenz, Pressemeldungen, Verträgen, Angeboten und Ähnlichem (Deutsch-Englisch-Spanisch), Erledigung aller Übersetzungsanfragen, Beauftragung und Koordination externer Übersetzer/Dolmetscher

Das erwarten wir: abgeschlossene Ausbildung zum ____________________ (m/w) mehrjährige Berufserfahrung, sehr gute Kenntnisse der englischen und der spanischen Sprache, gute Kenntnisse der gängigen PC-Programme, Spaß an der Arbeit im Team sowie Flexibilität und Eigeninitiative, verantwortungsbewusste, selbstständige und sorgfältige Arbeitsweise

Weitere Informationen bekommen Sie unter der Rufnummer 030/7778897.

(B)

Wir suchen für unser neu eröffnetes Informations-Callcenter Dresden ab April mehrere ____________________ (m/w) in Teilzeit/Vollzeit

Aufgabengebiet: Telefonische Kundenbetreuung für den polnischsprachigen Bereich (Textilindustrie), Kundenbestellungen annehmen und bearbeiten, Recherche von Kundendaten, Datenpflege der Kundendatenbank

Voraussetzungen: abgeschlossene kaufmännische Ausbildung, erste Erfahrungen im Callcenterbereich oder in der telefonischen Kundenbetreuung, ausgezeichnete polnische und deutsche Sprachkenntnisse in Wort und Schrift, angenehme Telefonstimme, Bereitschaft zur Schichtarbeit

Bitte senden Sie Ihre Bewerbungsunterlagen unter Angabe eines Eintrittszeitpunkts ausschließlich per E-Mail an: bewerbung@hotline-dresden.de

(C)

Für unser Berliner Büro suchen wir eine/n Fremdsprachensekretär/-in

Sie haben Ihre Ausbildung soeben abgeschlossen, sind serviceorientiert und mit den Arbeitsabläufen in einer Anwaltskanzlei bereits vertraut. Stresssituationen und die Notwendigkeit, zu organisieren machen Ihnen nichts aus. Das Beherrschen der deutschen und der englischen Sprache ist unbedingte Voraussetzung. Loyalität, Diskretion und Flexibilität sind für Sie ebenso selbstverständlich wie der sichere Umgang mit dem MS-Office-Paket und modernen Kommunikationsmitteln.

Fühlen Sie sich angesprochen und haben Lust, in einer erfolgreichen Kanzlei mitzuarbeiten? Dann freuen wir uns auf Ihre aussagekräftige Bewerbung bis zum 31. Mai an: personal@bb.de

(D)

Wir sind ein sehr erfolgreicher Reiseveranstalter und suchen zur tatkräftigen Unterstützung unseres Teams eine/n ____________________/-in

Sie lieben fremde Länder. Sie verstehen Ihr Handwerk und haben Teamgeist.

Folgende Tätigkeiten gehören zu Ihrem Aufgabengebiet: Rechnungsprüfung, Pflege der Konten, Erstellung von Monats- und Jahresabschlüssen, Erfassung, Kontierung und Buchung der Ein- und Ausgangsrechnungen

Das bringen Sie mit: abgeschlossene Ausbildung zum Steuerfachangestellten oder Bilanzbuchhalter, erste Berufserfahrung im Bereich Buchhaltung, fundierte Kenntnisse im Rechnungswesen, exzellente mündliche und schriftliche Deutsch- und Englischkenntnisse, eigenverantwortlichen und gewissenhaften Arbeitsstil

Weitere Informationen und Bewerbungsunterlagen bitte an: linert@reisen.de

AB 4 **Ein Bewerbungsschreiben**

Spiel & Spaß

a Auf welche Anzeige aus 3 bewirbt sich Herr Bode? Lesen Sie und ergänzen Sie.

Sehr geehrter Herr Dr. Stürmer,

mit sehr großem Interesse habe ich Ihre Stellenanzeige für einen ____________________ ________________ gelesen. Da die Beschreibung meinen Interessen und Vorstellungen entspricht, bewerbe ich mich hiermit um diese Stelle.

Ich habe vor zwei Jahren meine Ausbildung zum __________________________ mit der Note 1,6 abgeschlossen. Danach konnte ich erste Berufserfahrung in einer Firma sammeln, die Computerspiele entwickelt. Als Assistent der Entwicklungsabteilung gehörte es zu meinen Hauptaufgaben, sowohl allgemeine Texte als auch Fachtexte in die Sprachen Deutsch und Englisch zu übersetzen. Schon nach kurzer Zeit wurde mir auch die Koordination einzelner Projekte übertragen. Es hat mir Spaß gemacht, an mehreren Prozessen gleichzeitig zu arbeiten und Teil eines erfolgreichen Teams zu sein.

Nach einem Jahr bot mir die Firma die Möglichkeit, für mehrere Monate ein Projekt in Kanada zu koordinieren. Dort habe ich gemerkt, dass es mir nicht nur leicht fällt, mich auch unter Zeitdruck auf neue Situationen einzustellen, sondern auch flexibel auf neue Aufgaben und Problemstellungen zu reagieren.
Ich beherrsche nicht nur die üblichen PC-Programme, sondern habe auch Basiskenntnisse im Programmieren von Internetseiten.
Ich bin zweisprachig aufgewachsen und spreche sowohl Deutsch als auch Spanisch als Muttersprachen.
Sollten Sie noch Fragen haben, rufen Sie mich gern an.
Über eine Einladung zu einem persönlichen Gespräch würde ich mich sehr freuen.

Mit freundlichen Grüßen

Julian Bode

Anlagen: Lebenslauf, Zeugnisse, Übersetzungsprobe

b Lesen Sie die Bewerbung in a noch einmal und markieren Sie in dem Bewerbungsschreiben und in der passenden Stellenanzeige.

1 Ausbildung
2 Berufserfahrung / besondere Fähigkeiten/Anforderungen
3 Sprachkenntnisse
4 Computerkenntnisse

Spiel & Spaß

c Lesen Sie die Sätze und kreuzen Sie an.

Ich spreche sowohl Deutsch als auch Spanisch.
Ich spreche nicht nur Deutsch, sondern auch Spanisch.

GRAMMATIK
sowohl … als auch / nicht nur … sondern auch bedeutet
○ Deutsch **und auch** Spanisch
○ Deutsch **oder** Spanisch

● Handy ● Kleidung ● Gesten ● Gesichtsausdruck / ● Lächeln ● Blickkontakt ● Sitzhaltung

AB

5 Daher bewerbe ich mich hiermit um …

interessant?

a **Wählen Sie eine Anzeige aus 3 oder suchen Sie eine Anzeige im Internet. Markieren Sie die Anforderungen in der Anzeige wie in Aufgabe 4b.**

b **Welche Fragen passen zu den Anforderungen in „Ihrer" Anzeige? Notieren Sie Antworten und ergänzen Sie weitere Fragen, wenn nötig.**

1	Welche Berufserfahrung/ Ausbildung bringe ich mit?	Ich habe vor einem Jahr meine Ausbildung zur Industriekauffrau abgeschlossen. Danach habe ich ein Jahr telefonisch Kunden in … betreut.
2	Welche besonderen Fähigkeiten habe ich?	Ich telefoniere nicht nur gern, sondern habe auch eine angenehme Telefonstimme.
3	Welche Sprachen spreche ich?	Ich bin Polin und lerne seit fünf Jahren Deutsch. Ich spreche daher sowohl Polnisch als auch fließend Deutsch.
4	Welche Computerkenntnisse habe ich?	Ich habe Erfahrung mit Datenbanken.
…	…	

Diktat

c **Schreiben Sie nun ein Bewerbungsschreiben mit Ihren Sätzen aus b.**

KOMMUNIKATION

Sehr geehrte/r Frau/Herr …
Mit großem Interesse …
Daher bewerbe ich mich hiermit um …
Ich habe meine Ausbildung / mein Studium (mit der Note …) abgeschlossen.
Danach habe ich bei … gearbeitet und erste Erfahrungen gesammelt.
Als … gehörte es zu meinen Aufgaben …
Dabei habe ich auch Erfahrungen mit … gesammelt/gemacht.
Dort/Dabei habe ich gemerkt, dass ich sowohl … als auch … bin.
Es hat mir Spaß/Freude gemacht, … / Ich kann mir gut vorstellen, … / Es fällt mir leicht, …
Ich beherrsche …
Sollten Sie noch Fragen haben, rufen Sie mich gern an.
Über eine Einladung zu einem persönlichen Gespräch würde ich mich sehr freuen.
Mit freundlichen Grüßen …

6 Richtig und falsch im Bewerbungsgespräch

Worauf sollten Sie bei einem Bewerbungsgespräch achten? Was sollten Sie nicht tun? Diskutieren Sie. Hilfe finden Sie im Bildlexikon.

■ Man sollte natürlich auf keinen Fall telefonieren oder SMS lesen.
● Ja, ich würde darauf achten, mein Handy auszuschalten.
▲ Wichtig ist auch, was man anhat!
■ Ja, man muss achtgeben, dass man keine Flecken auf der Kleidung hat. Und man sollte keine Jeans tragen.

7 Schön, dass Sie da sind.

▶ 2 09 **a Über welche Themen wird gesprochen? Hören Sie das Vorstellungsgespräch und kreuzen Sie an.**

(X) Interesse an Fremdsprachen | ◯ Ausbildung |
◯ Tätigkeiten in der alten Firma | ◯ Grund für den Arbeitgeberwechsel |
◯ Stärken & Schwächen | ◯ Computerkenntnisse |
◯ mögliche Gründe für Einstellung | ◯ erste Arbeitsaufgaben |
◯ Gehaltsvorstellungen | ◯ Arbeitszeiten

▶ 2 10–13 **b Was antwortet Julian Bode? Hören Sie das Gespräch noch einmal abschnittsweise und notieren Sie Stichpunkte.**

Abschnitt 1:
1 Erzählen Sie doch bitte etwas über sich.
Abschnitt 2:
2 Welche Aufgaben hatten Sie in Ihrer letzten Firma?
3 Warum bleiben Sie nicht bei dieser Firma?
4 Warum haben Sie sich gerade unser Unternehmen ausgesucht?
Abschnitt 3:
5 Können Sie mir noch drei persönliche Stärken nennen?
6 Was würden Sie als Ihre Schwächen bezeichnen?
Abschnitt 4:
7 Warum sollten wir gerade Sie einstellen?
8 Welches Einstiegsgehalt stellen Sie sich vor?

1 zweisprachig aufgewachsen, Reisen ins Ausland mit der Familie, frühes Interesse für andere Länder und Kulturen

AB

8 Rollenspiel: Bewerbungsgespräche

a Als Antwort auf Ihre Bewerbung in 5c sind Sie zu einem Vorstellungsgespräch eingeladen worden. Machen Sie sich Notizen zu den Fragen in 7b.

Beruf

b In welchen Gesprächsphasen kann man die Redemittel verwenden? Machen Sie eine Tabelle.

KOMMUNIKATION

Danke für die Einladung zum Gespräch. | Es fällt mir leicht, … | Haben Sie denn noch eine Frage an mich? | Ich konnte in verschiedenen Bereichen Erfahrungen sammeln. So war ich … Dabei habe ich … | Ich mache … (nicht so) gern. | Gut, Frau/Herr …, wir melden uns dann in ein paar Tagen bei Ihnen. | ~~Ich möchte gern etwas Neues machen und mich weiterentwickeln.~~ | Schön, dass Sie da sind. | Ich habe mir Ihr Unternehmen im Internet angeschaut und gesehen, dass … | Ich denke, dass ich bei Ihnen viele Möglichkeiten habe und … | ~~Ich erledige meine Aufgaben sowohl … als auch …~~ | Vielen Dank, dass Sie hier waren. | Manchmal bin ich etwas … | Setzen Sie sich doch!

Gesprächseinstieg	
Erfahrungen bisher / Qualifikation / Grund für die Bewerbung	Ich möchte gern etwas Neues machen und mich weiterentwickeln.
Stärken und Schwächen	Ich erledige meine Aufgaben sowohl … als auch …
Gesprächsabschluss	

c Ihre Partnerin / Ihr Partner übernimmt die Rolle des Arbeitgebers und stellt Fragen wie in 7b. Spielen Sie ein Vorstellungsgespräch. Tauschen Sie anschließend die Rollen.

AB 9 **Welcher Beruf passt?**

a Wählen Sie einen Beruf und notieren Sie sechs Ausdrücke, die Ihnen zu dem Beruf einfallen.

Anwalt | Notar | Makler | Hausmeister | Arzt | Architekt | Beamter | Reporter | Schriftsteller | Handwerker | Wissenschaftler | Physiklehrer | Psychologe | Fotograf | Sozialarbeiter | Dichter | Briefträger | Präsident | Unternehmer

unglücklich verliebt
arm
viele Reisen
einsame Wanderungen
Fantasie
romantisch

b Arbeiten Sie in Gruppen. Präsentieren Sie Ihre Liste. Können die anderen den Beruf erraten?

- ■ Das könnte ein Reporter sein, denn Reporter, die aus dem Ausland berichten, sind viel auf Reisen.
- ● Nein, es ist kein Reporter.

Audiotraining | Karaoke

GRAMMATIK

zweiteilige Konjunktionen *sowohl … als auch / nicht nur …, sondern auch* (Aufzählungen)

Ich spreche sowohl Deutsch als auch Spanisch.
Ich spreche nicht nur Deutsch, sondern auch Spanisch.
= Ich spreche Deutsch und auch Spanisch.

KOMMUNIKATION

sich schriftlich bewerben

Mit großem Interesse …
Daher bewerbe ich mich hiermit um …
Ich habe meine Ausbildung / mein Studium (mit der Note …) abgeschlossen.
Danach habe ich bei … gearbeitet und erste Erfahrungen gesammelt.
Als … gehörte es zu meinen Aufgaben …
Dabei habe ich auch Erfahrungen mit … gesammelt/gemacht.
Dort/Dabei habe ich gemerkt, dass ich sowohl … als auch … bin.
Es hat mir Spaß/Freude gemacht, … / Ich kann mir gut vorstellen, … / Es fällt mir leicht, …
Ich beherrsche …
Sollten Sie noch Fragen haben, rufen Sie mich gern an.
Über eine Einladung zu einem persönlichen Gespräch würde ich mich sehr freuen.

ein Bewerbungsgespräch führen

Danke für die Einladung zum Gespräch. | Schön, dass Sie da sind. | Setzen Sie sich doch!

Ich konnte in verschiedenen Bereichen Erfahrungen sammeln. So war ich … Dabei habe ich … | Ich möchte gern etwas Neues machen und mich weiterentwickeln. | Ich habe mir Ihr Unternehmen im Internet angeschaut und gesehen, dass … | Ich denke, dass ich bei Ihnen viele Möglichkeiten habe und …

Ich mache … (nicht so) gern. | Ich erledige meine Aufgaben sowohl … als auch … | Manchmal bin ich etwas … | Es fällt mir leicht, …

Haben Sie denn noch eine Frage an mich?
Gut, Frau/Herr …, wir melden uns dann in ein paar Tagen bei Ihnen.
Vielen Dank, dass Sie hier waren.

Kannitverstan

oder

Wie der Mensch mit seinem Schicksal zufrieden werden kann, auch wenn ihm keine gebratenen Tauben in den Mund fliegen.

Nach einer Erzählung von Johann Peter Hebel (1808)

○ Einmal reiste ein deutscher Handwerksbursche in die reiche Handelsstadt Amsterdam. Dort fiel ihm ein besonders schönes Haus auf. Er wollte wissen, wem das Haus gehörte. Darum fragte er einen Mann: „Guter Mann, können Sie mir sagen, wie der Herr heißt, dem dieses wunderschöne Haus gehört?"

○ Er ging in seinen Gasthof zurück und aß mit gutem Appetit. Und, wenn er sich wieder einmal darüber ärgerte, dass so viele Leute auf der Welt reich waren und er so arm, dachte er an den Herrn Kannitverstan in Amsterdam.

③ Ein paar Straßen weiter kam er an den Hafen, wo viele beladene Schiffe standen. Ein Schiff war besonders groß. Daher wurde der Handwerksbursche neugierig. Er fragte einen Mann, der einen Sack Pfeffer auf dem Rücken trug: „Lieber Freund, wie heißt denn der glückliche Mann, dem alle diese Waren gehören?"

○ Der Mann, der kein Deutsch verstand, antwortete: „Kannitverstan". Das war ein niederländisches Wort. Oder besser gesagt: vier Wörter. Sie bedeuten: Ich kann nicht verstehen. Der Handwerksbursche aber dachte: „Kannitverstan? Das muss ein reicher Mann sein."

○ „Hoffentlich geht es mir auch einmal so gut, wie diesem Herrn Kannitverstan!" In diesem Moment kam ein Wagen mit einem Sarg darauf um die Ecke. Stumm folgten zahlreiche Menschen dem Leichenwagen. Der Handwerksbursche fragte den letzten: „War das ein guter Freund von Ihnen? Weil Sie so traurig sind."

○ „Kannitverstan", war die Antwort. „Ha!", dachte der Handwerksbursche. „Kein Wunder, dass dieser Kannitverstan schöne Häuser bauen kann, wenn er ein so erfolgreicher Händler ist." Gleichzeitig wurde er traurig, weil er selbst so arm war. Aus diesem Grund wünschte er:

○ „Kannitverstan", antwortete der Trauernde. Da wurde es unserem Handwerksburschen auf einmal sowohl schwer als auch leicht ums Herz. „Armer Kannitverstan!", rief er. „Was hast du nun von deinem Reichtum? Nicht mehr als ich, wenn ich sterbe."

1 Lesen Sie und sortieren Sie die Abschnitte.

2 Machen Sie Notizen zu den Zeichnungen und erzählen Sie die Geschichte nach.

- Handwerker aus Deutschland
- Reise nach ...
- ...

1 Sprachliche Missverständnisse

a **Was sehen Sie auf den Zeichnungen? Notieren Sie.**
Überlegen Sie dann zu zweit, welche Zeichnungen zusammenpassen könnten.

______ ______ ______ ______ ______ ______

______ ______ ______ ______ Schwager ______

▶ Clip 5 **b** **Was ist richtig? Sehen Sie den ganzen Film, stoppen Sie nach jeder Geschichte und kreuzen Sie an.**

① Die junge Frau lernt ○ in einem Kurs ○ nur zu Hause Deutsch.
Marcs Bruder ist ○ ihr Schwager. ○ der Vater ihres Kindes.

② Mit „appetitlich“ meinte sie, dass sie ○ Hunger hat. ○ gut aussieht.
Als sie aus ihrer Wohnung ausziehen musste, wollte sie die Wände
○ malen. ○ tapezieren.

③ Die junge Frau sollte ○ Äpfel ○ Apfelsinen für ihre Chefin kaufen.
Sie hat ○ Äpfel ○ Orangen gekauft.

④ Der Ägypter wollte ○ etwas kochen. ○ Essen gehen.
Er wusste nicht, dass Pfund ○ Geld ○ eine Gewichtseinheit ist.

⑤ Die ○ Mieterin ○ Vermieterin hat zwei Katzen.
Die Mieterin hat die Katzen ○ gegessen. ○ mit Futter versorgt.

2 Sprachliche Missverständnisse nachspielen

a **Arbeiten Sie zu zweit und wählen Sie das Missverständnis aus dem Film, das Ihnen am besten gefällt. Schreiben Sie ein Gespräch, das zu der Geschichte passt.**

b **Spielen Sie die Szene im Kurs.**

1 Die Volkshochschulen. Lesen Sie und korrigieren Sie.

Volkshochschulen (VHS) dienen der Erwachsenenbildung. Sie stehen für das Recht auf Bildung, die Möglichkeit zu lebenslangem Lernen und für Chancengerechtigkeit. Viele Volkshochschulen wurden mit Einführung der Demokratie gegründet. Die neue Demokratie brauchte mitdenkende 5 Bürger. An Volkshochschulen konnten und können sich alle Menschen weiterbilden, unabhängig von ihrer Herkunft und ihrer Ausbildung.

Wichtig für die Entwicklung der Volkshochschulen war der dänische Pädagoge und Theologe Nikolai Frederik Severin Grundtvig (1783 – 1872). Er gründete bereits 1844 die erste dänische Heimvolkshochschule. In Deutschland entstanden die meisten Volkshochschulen nach dem 10 Ersten Weltkrieg.

An Volkshochschulen sollen möglichst viele Menschen Kurse belegen können. Die Einrichtungen machen keine Gewinne und werden vom Staat finanziell unterstützt. Daher können sie ihre Kurse relativ preiswert anbieten.

Heute gibt es in Deutschland rund 900, in Österreich etwa 280 und in der Schweiz 15 ca. 30 Volkshochschulen. Die Kursangebote sind vielfältig. Es gibt nicht nur Sprachkurse und Computerkurse, sondern auch Kurse zu Themen wie Politik, Kultur und Gesundheit. Besonders Kochkurse sind zurzeit sehr gefragt: Egal, ob Sie vegan kochen möchten oder ob Sie Angebote zu landesspezifischer Küche suchen – es gibt sicher einen passenden Kurs in Ihrer Nähe.

a An Volkshochschulen können Erwachsene ~~eine Ausbildung machen~~. *sich weiterbilden*
b Der österreichische Pädagoge N.F.S. Grundtvig beeinflusste die deutschen Volkshochschulen.
c Die meisten deutschen Volkshochschulen entstanden im 19. Jahrhundert.
d Die Volkshochschulen werden von Unternehmen unterstützt.
e In Deutschland gibt es heute etwa 900 Kochkurse.

2 Sie möchten einen Kochkurs in einem deutschsprachigen Land besuchen.

a Recherchieren Sie im Internet oder in Katalogen von Weiterbildungseinrichtungen und machen Sie Notizen zu den Fragen.

1 Wer bietet den Kurs an?
2 Welchen Titel hat der Kurs?
3 Was kocht man in dem Kurs?
4 Wann und wie oft findet der Kurs statt?
5 Was kostet der Kurs?

b Präsentieren Sie „Ihren" Kochkurs im Kurs.

Anbieter: Volkshochschule Jena

Kurstitel: Mediterrane Küche – italienischer Kochkurs

Kursinhalt: Sie kochen ein 3-Gänge-Menü, das dann im Anschluss gemeinsam gegessen wird. Gleichzeitig erfahren Sie etwas über die italienische Küche und regionale Besonderheiten. Außerdem erhalten Sie zahlreiche Koch- und Ernährungstipps.

Termin: 15. Oktober von 17:00 bis 20:00 Uhr

Kosten: 37,50 € + Lebensmittelkosten

Kurs 303

Ⓚ Hier Volkshochschule, guten Tag,
Sie sprechen mit Frau Keinefrag.
Was wünschen Sie, was kann ich tun?
Ich hör' Sie nicht, was ist denn nun?

○ Ja, guten Tag, hier Gernegroß,
bin leider sowohl arbeitslos
als auch seit Langem suchend,
deswegen möcht' ich buchen:

____

ich glaub', das ist Kurs drei null drei.

Kurs zwei null zwei?

____

Moment – ich leite weiter an den
Herrn Kursleiter.

Nein! Äh, Moment, ich wollte doch
eigentlich … Ähm, hallo …

○ Hier Volkshochschule, guten Morgen,
Sie sprechen mit Herrn Ohnesorgen.
Was wünschen Sie, was kann ich tun?
Ich hör' Sie nicht, was ist denn nun?

Ja, guten Tag, hier Gernegroß,
bin leider nicht nur arbeitslos,
sondern auch seit Langem suchend,
darum möcht' ich jetzt buchen:

____

ich glaub', das ist Kurs drei null drei!

Kurs drei null zwei?
Ach ja, da ist noch etwas frei.

______________________________?

Einen Moment, ich verbinde!

Oh, nein! Moment! Hallo! Hallo! Hallo!

○ Hier Volkshochschule, Tag, hallo,
Sie sprechen mit Frau Sowieso.
Was wünschen Sie, was kann ich tun?
Ich hör' Sie nicht, was ist denn nun?

Ja, guten Tag, hier Gernegroß,
bin leider sowohl arbeitslos
als auch seit Langem suchend,
deshalb möcht' ich jetzt buchen:

____

ich glaub', das ist Kurs: Drei! Null! Drei!

Meinen Sie Kurs drei null drei?

______________________________?

Ja, ja, genau, endlich geht's weiter!
Denn da suchen wir 'nen Leiter!
Äh, nein! Nein, ich wollt' doch nur
fragen, ob …
Sie haben den Job!

▶ 2 14 **1 Welchen Kurs möchte Frau Gernegroß buchen und was verstehen die anderen Personen? Was meinen Sie? Lesen Sie und ergänzen Sie die passenden Kurstitel. Hören Sie dann das Lied und vergleichen Sie.**

„Malen ohne Staffelei" | „Bewerben gut und einwandfrei" (4x) | „Komponieren für Blinde"

2 Frau Keinefrag (K), Frau Gernegroß (G), Herr Ohnesorgen (O) oder Frau Sowieso (S)?

a Wer singt welche Strophe? Lesen Sie und notieren Sie den passenden Buchstaben.

▶ 2 14 **b** Teilen Sie den Kurs in vier Gruppen (Frau Keinefrag, Frau Gernegroß, Herr Ohnesorgen, Frau Sowieso): Hören Sie das Lied noch einmal und singen Sie „Ihre" Strophen mit.

Wir brauchten uns um nichts zu kümmern. 16

Hören: Jugenderlebnisse

Sprechen: Wichtigkeit ausdrücken: *Ich konnte es kaum erwarten, bis …*; auf Erzählungen reagieren: *Das ist heute kaum vorstellbar.*

Wortfelder: Erinnerungen und Beziehungen

Grammatik: *nicht/nur brauchen* + Infinitiv mit *zu*: *Wir brauchten uns um nichts zu kümmern.*

1 Ich will ja nicht neugierig sein, aber …

a Was meinen Sie? Wer sind die Personen und wie gut kennen sie sich?

> Ich denke, die beiden sind verwandt. Vermutlich ist …

▶ 2 15 **b** Hören Sie und vergleichen Sie mit Ihren Vermutungen aus a.

2 Haben Sie schon einmal eine interessante Reisebekanntschaft gemacht?

> Ja, als ich vor einem Jahr mit dem Zug nach … gefahren bin, bin ich einem sehr ungewöhnlichen Menschen begegnet. …

● Streit / sich streiten | ● Kuss / sich küssen | ● Lüge/lügen | sich verlieben | heiraten | sich trennen | ● Beziehung

AB

Spiel & Spaß

3 Was fällt Ihnen zum Thema „Jugend" ein? Überlegen Sie zu zweit und notieren Sie.

Ergänzen Sie auch Wörter aus dem Bildlexikon.
Vergleichen Sie dann mit einem anderen Paar.

Freundschaft

viele Tränen

Jugend

erste große Liebe

4 Ach, das war eine herrliche Zeit!

▶ 2 16 **a Über welche Themen sprechen die beiden Personen? Hören Sie und kreuzen Sie an.**

○ Zeit während des Krieges | ○ Jugend |
○ Pflichten und Aufgaben im Elternhaus |
○ Beziehungsprobleme | ○ Generationenkonflikte

▶ 2 17 **b Was ist richtig? Hören Sie den Anfang des Gesprächs noch einmal und kreuzen Sie an.**

interessant?

1 Nach dem Krieg war es schwierig,
○ einen normalen Familienalltag zu führen.
○ Arbeit zu finden.
○ sich an die guten Zeiten zu gewöhnen.

2 Ende der 50er-Jahre
○ kamen die Männer aus dem Krieg zurück.
○ ging es mit der Wirtschaft wieder aufwärts.
○ verloren viele ihren ganzen Besitz.

▶ 2 18 **c Wie sah die Jugend der beiden aus? Hören Sie weiter und machen Sie Notizen zu den Fragen.**

	ÄLTERE DAME	JUNGER MANN
1 Wo trafen/treffen sich die jungen Leute?		
2 Welche Aufgaben hatten sie im Haushalt?		
3 Was war erlaubt/verboten?		
4 In welchem Alter hatten sie ihre erste Beziehung?	21	

▶ 2 19 **d Hören Sie das Ende des Gesprächs und kreuzen Sie an.**

noch einmal?

1 Die ältere Dame kann nicht verstehen, dass junge Leute heute ○ zufrieden ○ unzufrieden sind.
2 Sie meint, dass junge Leute heute ○ viele ○ wenige Freiheiten haben.
3 Der junge Mann meint, dass seine Jugend ○ schwer ○ leicht war.
4 Er findet, dass Jugendliche sich heute ○ nicht mehr ○ immer noch von ihren Eltern abgrenzen müssen.

AB **5** **Welche Bedeutung hat *nur/nicht brauchen*?**
Lesen Sie die Beispiele, markieren Sie die Verben mit *zu* und kreuzen Sie dann an.

Spiel & Spaß

Im Haushalt **brauchte** ich in den Jahren vor dem Abitur **nicht** zu helfen. Ich **brauchte** **nur** mein Zimmer in Ordnung zu halten. Wir **brauchten** uns um **nichts** zu kümmern.

GRAMMATIK

Nach nur/nicht brauchen steht der Infinitiv mit *zu*.
nur/nicht brauchen + Infinitiv mit *zu* hat die gleiche Bedeutung wie
○ (nicht) können. ○ (nicht) müssen. ○ (nicht) wollen.

6 **Aktivitäten-Bingo: Wer brauchte …? Arbeiten Sie auf Seite 83.**

AB **7** **Jedes Familienmitglied hatte seine Aufgaben zu erledigen.**

a **Ordnen Sie die Zitate A–D aus dem Gespräch in 4 den passenden Fragen zu.**

1 Wo hat sich die Jugend getroffen? ______
2 Was war erlaubt/verboten? ______
3 Was mussten Sie im Haushalt machen? ______
4 Wollten/Wollen Sie sich von Ihren Eltern abgrenzen? __A__
Was haben Sie gemacht / machen Sie?

A Tatsächlich sind wir – im Gegensatz zu Ihrer Generation – fast sorglos aufgewachsen, wir brauchten uns um nichts zu kümmern. Und trotzdem müssen wir uns von unseren Eltern abgrenzen. Mir kam es vor allem darauf an, möglichst lange wegzubleiben und am nächsten Tag erst nachmittags aufzustehen.
B Meine Mutter war zwar sehr großzügig und ich durfte auch ausgehen, aber wenn ich vor Mitternacht nicht zu Hause war, dann war der Tanztee am nächsten Wochenende mit Sicherheit gestrichen.
C Der Tanztee war die einzige Veranstaltung für die Jugend damals. Da gingen alle hin.
D Am Wochenende hatte jedes Familienmitglied seine Aufgaben zu erledigen.
Ich war verantwortlich für die Kleidung.

Diktat

b **Wie finden Sie die Aussagen in 7a? Vergleichen Sie sie auch mit Ihren eigenen Erfahrungen. Was war Ihnen in Ihrer Jugend wichtig?**

■ „Am Wochenende hatte jedes Familienmitglied seine Aufgaben zu erledigen." Das war bei uns auch so. Bei uns auf dem Hof gab es immer viel zu tun, vor allem bei der Ernte. Da mussten auch die Kinder helfen. Das mochte ich gar nicht. Ich war, so oft ich konnte, bei meinen Freunden und …

KOMMUNIKATION

auf Erzählungen reagieren	Wichtigkeit ausdrücken
Bei uns kam das nicht infrage.	Es kam mir darauf an, …
Das war bei uns nicht vorstellbar / auch so.	Am wichtigsten war mir …
Das können wir uns heute gar nicht mehr / immer noch sehr gut vorstellen.	Für mich war es sehr wichtig, dass …
Das ist heute kaum mehr / gut vorstellbar.	Ich ging/war, so oft ich konnte, …
Das ging mir genauso / ganz anders.	Ich konnte es kaum erwarten, bis …
Das kann ich gut / ehrlich gesagt nicht verstehen.	Ich legte größten Wert auf …
	Das war mir (nicht so) wichtig.

AB 8 **Eine Traumreise in Ihrer Jugend**

▶ 2 20 **a** **Schließen Sie die Augen und hören Sie. Erinnern Sie sich an Ihre Jugend. Sie machen eine große Reise. Der Zug fährt ein und Sie steigen ein. Reisen Sie weiter und behalten Sie Ihre Eindrücke.**

1 Unterwegs: Wie ist die Reise? / Wie fühlen Sie sich? / ...
2 Ankunft: Wo kommen Sie an? / Wie sieht es dort aus? / Gefällt es Ihnen dort? / ...
3 Aktivitäten am Zielort: Wem begegnen Sie? / Was machen Sie? / Wie geht es Ihnen? / ...

b **Öffnen Sie langsam die Augen und machen Sie Notizen von Ihren Eindrücken.**

mit 16 Jahren – ohne Eltern – glücklich – in den Süden

c **Verwenden Sie Ihre Notizen und schreiben Sie einen Text über Ihre Reise.**

Ich bin 16 Jahre alt. Ich stehe zusammen mit meinem besten Freund am Bahnhof und bin aufgeregt und glücklich. Die letzten Ratschläge unserer Eltern hören wir schon nicht mehr. Die Reise geht in den sonnigen Süden. Wir sind fest entschlossen, jeden Tag zu genießen. ...

Audiotraining | Karaoke

GRAMMATIK

nicht/nur brauchen + Infinitiv mit _zu_

Im Haushalt brauchte ich in den Jahren vor dem Abitur nicht zu helfen.
Ich brauchte nur mein Zimmer in Ordnung zu halten.

KOMMUNIKATION

auf Erzählungen reagieren

Bei uns kam das nicht infrage.
Das war bei uns nicht vorstellbar / auch so.
Das können wir uns heute gar nicht mehr / immer noch sehr gut vorstellen.
Das ist heute kaum mehr / gut vorstellbar.
Das ging mir genauso / ganz anders.
Das kann ich gut / ehrlich gesagt nicht verstehen.

Wichtigkeit ausdrücken

Es kam mir darauf an, ...
Am wichtigsten war mir ...
Für mich war, es sehr wichtig, dass ...
Ich ging/war, so oft ich konnte, ...
Ich konnte es kaum erwarten, bis ...
Ich legte größten Wert auf ...
Das war mir (nicht so) wichtig.

Guck mal! Das ist schön! 17

Sprechen: eine Lebensgeschichte nacherzählen: *Gabriele Münter wird am 19. 2. 1877 in Berlin geboren.*

Lesen/Schreiben: Biografie

Wortfelder: Kunst und Malerei

Grammatik: Ausdrücke mit *es*: *Es war damals für Frauen noch nicht möglich, ...*

1 Wusstest du, dass ...?

a **Was meinen Sie? Worüber sprechen die beiden? Sehen Sie das Foto an und schreiben Sie ein Gespräch. Spielen Sie dann im Kurs.**

■ Guck mal, da drüben. Das sieht ja toll aus.
▲ Was meinst du? ...

▶ 2 21 **b** **Hören Sie und vergleichen Sie mit Ihren Vermutungen in a.**

Wir dachten, die beiden sind überrascht von ..., aber ...

2 Gehen Sie gern ins Museum? Interessieren Sie sich für Kunst? Erzählen Sie.

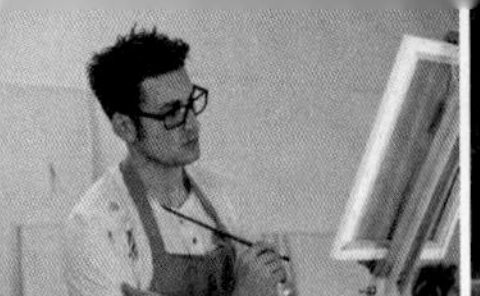

● Galerie ● Ausstellung/ausstellen ● Maler/● Künstler ● Stillleben ● Landschaft ● Hügel ● Mauer

Spiel & Spaß

3 Sehen Sie das Bild an. Was sieht man? Wie gefällt es Ihnen? Hilfe finden Sie im Bildlexikon.

Gabriele Münter: Landschaft mit weißer Mauer (1910)

AB

4 Gabriele Münters Leben

a Überfliegen Sie die Biografie und ergänzen Sie die passenden Überschriften.

Späte Anerkennung | ~~Anfangsjahre~~ | Beziehung zu Kandinsky | Leben in Murnau | Ausbildung | Schwierige Jahre | Reise in die USA

Anfangsjahre

Gabriele Münter wird am 19. Februar 1877 in Berlin geboren. Sie zeigt schon früh eine große künstlerische Begabung. Darum besucht sie im Frühjahr 1897 eine Damenkunstschule in Düsseldorf. 1886 stirbt ihr Vater, im November 1897 auch die Mutter. Gabriele gibt daraufhin ihre Ausbildung wieder auf.

______

Es ist nicht leicht für Gabriele, so früh beide Eltern zu verlieren. Doch das Erbe der Eltern ermöglicht ihr eine Reise. Zusammen mit ihrer älteren Schwester Emmy reist sie zwei Jahre lang durch Missouri, Arkansas und Texas. Eine Reise, von der Gabriele Münter nicht nur viele Eindrücke, sondern auch viele Fotos mitbringt.

______

Nach ihrer Rückkehr zieht Gabriele Münter nach München und widmet sich wieder der Malerei. Es war damals für Frauen noch nicht möglich, an der Kunstakademie zu studieren. Deshalb besucht Gabriele Münter private Malschulen. 1902 lernt sie den russischen Maler Wassily Kandinsky kennen. Er unterrichtet Malerei. Es ist Sommer, als sie sich während eines Malkurses in ihn verliebt.

______

1903 macht Kandinsky Gabriele Münter einen Heiratsantrag, obwohl er noch verheiratet ist. Vier Jahre lang gehen die beiden auf Reisen. Es entstehen viele Arbeiten von Gabriele Münter. 1908 mietet das Paar schließlich eine gemeinsame Wohnung in München.

______

1909 kauft Gabriele Münter ein Landhaus in Murnau am Staffelsee, das heute noch das „Russenhaus" genannt wird. Dort empfängt das Paar viele Besucher, darunter viele Malerfreunde. 1911 gründet Gabriele Münter zusammen mit Kandinsky, Franz Marc und Alfred Kubin die Künstlergruppe *Der Blaue Reiter*.

______

1914 bricht der Erste Weltkrieg aus. Da Deutschland mit Russland im Krieg ist, wird Kandinsky als „feindlicher Ausländer" angesehen. Gabriele Münter flieht mit ihm nach Stockholm. 1916 kehrt Kandinsky nach Russland zurück und bricht den Kontakt zu Gabriele ab. Der Grund: Er hat wieder geheiratet. Nach der Trennung lebt Gabriele Münter abwechselnd in Kopenhagen, Köln, München und Murnau. In diesen Jahren geht es ihr nicht gut. Da sie unter Depressionen leidet, fällt es ihr schwer, zu malen. 1925 zieht sie in ihren Geburtsort Berlin. Dort lernt sie 1927 Johannes Eichner kennen. Mit ihm geht sie 1931 wieder nach Murnau zurück. Dort entstehen viele Blumenstillleben. Während der Zeit des Nationalsozialismus darf Gabriele Münter nicht ausstellen. Sie versteckt wichtige Bilder von Kandinsky und rettet sie so vor der Zerstörung durch die Nationalsozialisten.

______

1949 findet im Münchner Haus der Kunst eine Ausstellung des *Blauen Reiter* statt. Das Museum zeigt auch Arbeiten von Gabriele Münter. Zu ihrem 80. Geburtstag schenkt die Malerin der Stadt München über 80 Bilder Kandinskys sowie andere Arbeiten des *Blauen Reiter* und viele eigene Werke. Die Bilder sind heute im Lenbachhaus zu sehen. Auch das „Russenhaus" in Murnau kann man besichtigen, in dem Gabriele Münter so viele glückliche Jahre verbracht hat und 1962 gestorben ist.

interessant?

b **Lesen Sie die Biografie noch einmal und ergänzen Sie den Steckbrief.**

GABRIELE MÜNTER

1877 am 19. Februar 1877 in Berlin geboren	1916
1897	1925 Umzug nach …
1899–1900 Nach dem Tod der Eltern …	1927
1902	1931
1903	1937–1945 Ausstellungsverbot …
1908 Kandinsky und Münter ziehen …	1949
1909	1957
1911	1962 in Murnau gestorben
1914 Nach Beginn des Ersten Weltkriegs …	

das Russenhaus

Diktat

c **Vergleichen Sie mit Ihrer Partnerin / Ihrem Partner und sprechen Sie.**

■ Gabriele Münter wird am 19. Februar 1877 in Berlin geboren.
● Ja, und im Frühjahr 1897 besucht sie die Damenkunstschule in Düsseldorf. Denn …

KOMMUNIKATION
… kommt am … zur Welt / wird am … geboren. | Nach dem Tod ihrer/seiner Eltern / Nach der Ausbildung / Nach dem Studium … | Mit … Jahren lebt/reist sie/er … | Zu ihrem/seinem … Geburtstag … | Im Sommer 1903 … | Während des Ersten Weltkriegs / der Zeit des Nationalsozialismus … | Nach der Trennung … | … stirbt mit … Jahren in …

AB

5 Es ist Sommer, als …

Spiel & Spaß

a **Machen Sie eine Tabelle und ordnen Sie zu.**

Es fällt ihr schwer, zu … | Es geht ihr nicht gut. | Es gibt … | Es hat kurz vorher geregnet. | Es ist nicht leicht, … | Es ist Sommer, … | Es war damals noch nicht möglich, … | Es war eher bewölkt. | Es donnert und blitzt.

„es" in festen Wendungen	Tages- und Jahreszeiten	Wetter	Befinden
Es ist schwierig, … Es lohnt sich.	Es ist schon Abend/Nacht.	Es schneit/regnet. Es ist sonnig/neblig/…	Wie geht es Ihnen?

b **Gesprächspuzzle erstellen: Wie geht es Ihnen? Arbeiten Sie zu zweit auf Seite 84.**

AB

6 Mich beeindruckt besonders …

a **Was halten Sie von Gabriele Münters Leben? Erzählen Sie.**

b **Welcher Künstler beeindruckt Sie besonders? Warum? Erzählen Sie.**

Ich hätte nicht gern zu Gabriele Münters Zeit gelebt. Frauen hatten es damals wirklich nicht leicht. Sie mussten gegen viele Vorurteile kämpfen und waren nicht gleichberechtigt.

Bruce Springsteen finde ich klasse. Er ist nicht nur ein toller Musiker, sondern nimmt auch Einfluss auf die Politik und setzt sich für Menschenrechte ein. …

MINI-PROJEKT

7 Biografien erfinden

a Arbeiten Sie in Gruppen und erfinden Sie eine interessante Künstlerbiografie. Schreiben Sie einen Steckbrief.

Geburtsort/Geburtsjahr | Kindheit und Jugend | Ausbildung | Arbeit | Ruhm/Anerkennung | Reisen | Heirat | gestorben in … | …

Beat Egger
1947 am 20. Mai in Basel geboren
1959 Eltern sterben bei Verkehrsunfall, lebt bei seinen strengen Großeltern
1961–1962 lebt auf der Straße, verhaftet wegen Drogenbesitz und Diebstahl
1963 zieht zu seinem Onkel nach Los Angeles, nimmt keine Drogen und trinkt nicht mehr
1964 schreibt Buch über seine wilde Jugend
1965 Buch wird verfilmt, spielt sich selbst in dem Film, großer Erfolg, Liebling der Medien

b Präsentieren Sie Ihre Künstlerin / Ihren Künstler im Kurs und stimmen Sie ab: Welche Gruppe hat die interessanteste Biografie erfunden?

GRAMMATIK

Ausdrücke mit *es*	
es in festen Wendungen	Es ist schwierig / nicht leicht / noch nicht möglich, … Es lohnt sich. Es gibt … Es fällt ihr schwer, zu …
Tages- und Jahreszeiten	Es ist schon Abend/Nacht. Es ist Sommer/Winter/…
Wetter	Es schneit/regnet. Es ist sonnig/neblig/… Es hat kurz vorher geregnet. Es war eher bewölkt. Es donnert und blitzt.
Befinden	Wie geht es Ihnen? Es geht ihr nicht gut.

KOMMUNIKATION

eine Lebensgeschichte nacherzählen
… kommt am … zur Welt / wird am … geboren.
Nach dem Tod ihrer/seiner Eltern / Nach der Ausbildung / Nach dem Studium …
Mit … Jahren lebt/reist sie/er …
Zu ihrem/seinem … Geburtstag …
Im Sommer 1903 …
Während des Ersten Weltkriegs / der Zeit des Nationalsozialismus …
Nach der Trennung …
… stirbt mit … Jahren in …

Davon halte ich nicht viel. 18

Hören: Reportage

Sprechen: diskutieren: *Davon halte ich nicht viel, denn …*

Lesen: Umfrage

Wortfelder: Politik und Gesellschaft

Grammatik: zweiteilige Konjunktionen *weder … noch, entweder … oder, zwar … aber*

1 Sehen Sie das Foto an. Was meinen Sie?
Wo sind die Jugendlichen und was machen sie dort?

▶ 2 22 **2 Was ist richtig? Hören Sie und kreuzen Sie an.**

○ Ein Politiker hält eine Rede zum Jahrestag der Wiedervereinigung. Es geht um die Frage, ob die Versprechen dazu umgesetzt wurden.
○ Der Bundeskanzler hält eine Rede zur deutschen Einheit. Er verspricht den Menschen in der ehemaligen DDR „blühende Landschaften“.

INFO
Der **Tag der Deutschen Einheit (3.10.)** ist der deutsche Nationalfeiertag. Es wird die Wiedervereinigung der BRD (= Bundesrepublik Deutschland) und der DDR (= Deutsche Demokratische Republik) gefeiert.

• Kernenergie • Windenergie • Umwelt-/Klimaschutz • Tierschutz • Datenschutz • Bildung • Forschung

Beruf

3 Politik in Deutschland

a Was wissen Sie schon?

1 Kennen Sie Politiker aus Deutschland, z. B. Bundeskanzler/in, einzelne Minister?
2 Welche Parteien kennen Sie? Wofür stehen sie?

b Welche Partei passt? Ordnen Sie zu.

1 Sozialdemokratische Partei Deutschlands
2 Bündnis 90 / Die Grünen
3 Christlich Demokratische Union
4 Christlich-Soziale Union in Bayern
5 Freie Demokratische Partei
6 Die Linke

② 

○ 

○ 

○ 

○ 

○ 

AB

4 Wer geht überhaupt noch zur Wahl?

Spiel & Spaß

a Was passt? Verbinden Sie. Hilfe finden Sie im Wörterbuch.

1 Die Demokratie	sind alle Parteien, die im Parlament sitzen und nicht an der Regierung beteiligt sind.
2 Die Regierung	können Bürger zum Beispiel bei Demonstrationen oder in Bürgerinitiativen zum Ausdruck bringen.
3 Die Opposition	wird von der Partei / den Parteien gebildet, die bei Wahlen die Mehrheit der Stimmen bekommt/bekommen.
4 Ihre politische Meinung	ist eine Staatsform, in der vom Volk frei gewählte Vertreter regieren.

▶ 2 23

b Was ist richtig? Hören Sie den Anfang der Reportage und kreuzen Sie an.

1 Politikverdrossenheit bedeutet: ○ ein großes ○ ein geringes Interesse an Politik
2 Die Reportage geht der Frage nach,
○ ob das Interesse der Jugendlichen an Politik tatsächlich immer weiter sinkt.
○ ob und wen Jugendliche bei der letzten Wahl gewählt haben.

▶ 2 24

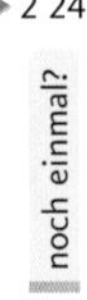

c Was meinen Sie? In welche Zeit passen die Aussagen? Ordnen Sie zu. Hören Sie dann die Reportage weiter und vergleichen Sie.

1980er-Jahre ○ 1990er-Jahre ○ seit einigen Jahren ○

1 Das Interesse an Politik nimmt zu. Es werden Unterschriften gesammelt und Waren boykottiert. Jugendliche nehmen an Protesten, Demonstrationen und Bürgerinitiativen teil.

2 Es ist „in“, politisch zu sein. Viele Jugendliche sind politisch aktiv. Sie engagieren sich und die Wahlbeteiligung ist hoch.

3 Nur noch eine Minderheit der jungen Leute bezeichnet sich als „politisch interessiert“. Das liegt vor allem an einer Parteienverdrossenheit durch nicht eingehaltene Wahlversprechen und durch die Skandale einiger Minister.

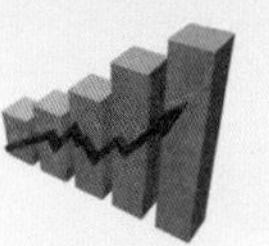

• Frieden • Gesundheit • Arbeitslosigkeit • Kinderbetreuung • Steuern / • Finanzen • Wirtschaft • Sicherheit

▶ 2 24 **d** **Für welche Themen interessieren sich die Jugendlichen?**
Hören Sie noch einmal und notieren Sie die passenden Begriffe aus dem Bildlexikon.

e **Und Sie? Interessieren Sie sich für Politik? Welche Themen sind Ihnen wichtig?**

AB

5 Jugendliche interessieren sich weder für die CDU noch für die SPD.

Spiel & Spaß

a **Ordnen Sie zu.**

weder … noch | zwar … aber | entweder … oder

GRAMMATIK

entweder … oder	= oder
weder … noch	= nicht … und nicht …
zwar … aber	= obwohl

Die Gründe waren __________ nicht eingehaltene Wahlversprechen __________ die Skandale einiger Minister. __________ waren den jungen Leuten die Volksvertreter volksnah genug, __________ konnten sie die Parteien gut genug voneinander unterscheiden. __________ hält die eindeutige Mehrheit der Jugendlichen die Demokratie immer noch für die beste Staatsform, __________ die etablierten Parteien profitieren kaum davon.

b **Ich interessiere mich zwar für … Arbeiten Sie zu zweit auf Seite 85.**

6 Willkommen beim Wahl-O-Mat®! Lesen Sie den Text und beantworten Sie die Fragen.

a Warum sind die Parteien immer schlechter voneinander zu unterscheiden?
b Wo findet man Informationen zu den Parteien?
c Wem kann der Wahl-O-Mat® helfen?
d Wie funktioniert der Wahl-O-Mat®?

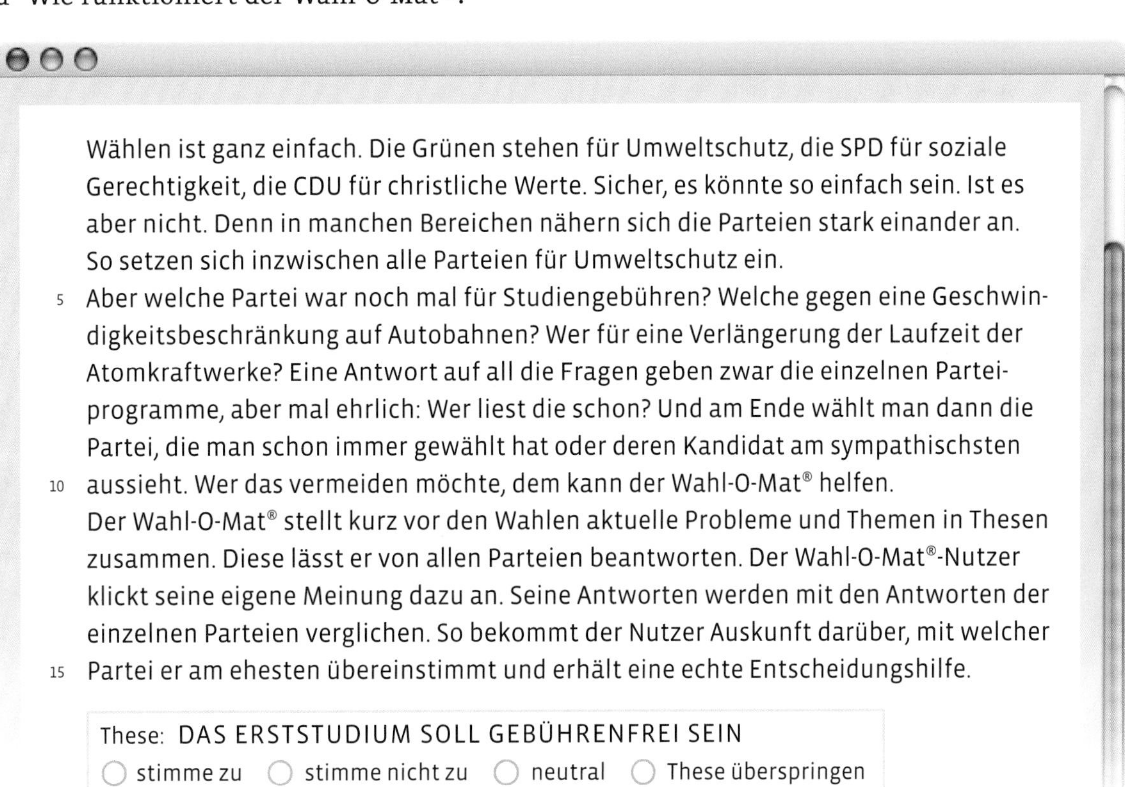

Wählen ist ganz einfach. Die Grünen stehen für Umweltschutz, die SPD für soziale Gerechtigkeit, die CDU für christliche Werte. Sicher, es könnte so einfach sein. Ist es aber nicht. Denn in manchen Bereichen nähern sich die Parteien stark einander an. So setzen sich inzwischen alle Parteien für Umweltschutz ein.
5 Aber welche Partei war noch mal für Studiengebühren? Welche gegen eine Geschwindigkeitsbeschränkung auf Autobahnen? Wer für eine Verlängerung der Laufzeit der Atomkraftwerke? Eine Antwort auf all die Fragen geben zwar die einzelnen Parteiprogramme, aber mal ehrlich: Wer liest die schon? Und am Ende wählt man dann die Partei, die man schon immer gewählt hat oder deren Kandidat am sympathischsten
10 aussieht. Wer das vermeiden möchte, dem kann der Wahl-O-Mat® helfen.
Der Wahl-O-Mat® stellt kurz vor den Wahlen aktuelle Probleme und Themen in Thesen zusammen. Diese lässt er von allen Parteien beantworten. Der Wahl-O-Mat®-Nutzer klickt seine eigene Meinung dazu an. Seine Antworten werden mit den Antworten der einzelnen Parteien verglichen. So bekommt der Nutzer Auskunft darüber, mit welcher
15 Partei er am ehesten übereinstimmt und erhält eine echte Entscheidungshilfe.

These: DAS ERSTSTUDIUM SOLL GEBÜHRENFREI SEIN
○ stimme zu ○ stimme nicht zu ○ neutral ○ These überspringen

AB **7 Gelebte Demokratie**

a Engagiert sich die Person ehrenamtlich? Überfliegen Sie die Umfrage und kreuzen Sie an.

Richard Doebel
ja ◯ nein ◯

Tobias Mattsen
ja ◯ nein ◯

Jens Krämer
ja ◯ nein ◯

Sofie Witthoeft
ja ◯ nein ◯

Ingrid Pichler
ja ◯ nein ◯

Gelebte Demokratie

Umfrage: Nicht nur wer wählt, sondern auch wer sich sozial engagiert, handelt politisch. Vor allem Frauen, Rentner und gebildete junge Menschen zeigen ein hohes soziales Engagement. Wir wollten wissen: Wer engagiert sich heute wie?

Ich bin Rentner und seit etwa vier Jahren bei
5 den Lesefüchsen aktiv. Das ist ein Verein, der sich die Leseförderung von Kindern zum Ziel gesetzt hat. Wir gehen einmal in der Woche in Schulen oder Kindergärten und lesen den Kindern Bücher vor. Vorlesen ist ja so wichtig,
10 damit aus den Kindern später mal selbst Leser werden. Kinder, die zum ersten Mal zuhören, sind oft skeptisch. Aber wenn ich erst einmal anfange, sind sie ganz still und wollen überhaupt nicht mehr, dass ich aufhöre. Diese
15 Dankbarkeit ist für mich der beste Lohn.
Richard Doebel

Ich mache nichts. Dazu fehlt mir einfach die Zeit. Ich habe eine Familie und einen anstrengenden Job in der Tourismusbranche.
20 Das reicht. Ich muss jetzt auch gleich weiter, meine Kinder vom Kindergarten abholen.
Tobias Mattsen

Ehrenamt? Dafür habe ich keine Zeit. Stehen Sie mal von morgens früh bis abends spät auf der
25 Baustelle. Am Wochenende nehme ich mir die Freiheit und lege die Füße hoch. Obwohl: Etwas mache ich schon. Ich trainiere die Fußballmannschaft meines Sohnes. Dafür bekomme ich kein Geld. Aber die Arbeit mit den kleinen Sportlern
30 macht mir großen Spaß. Das ist doch auch soziales Engagement, oder? Jens Krämer

Seit ich denken kann, liegt mir die Umwelt am Herzen. Schon als Kind habe ich jeden Müll von der Straße aufgehoben. Heute engagiere
35 ich mich bei verschiedenen Organisationen, die alle mit Umweltschutz zu tun haben. Entweder nehme ich an Aufräumaktionen teil oder ich gehe zusammen mit anderen Demonstranten für Umweltprojekte auf die Straße.
40 Inzwischen bin ich Studentin der Biologie und würde später gern im Umweltschutz arbeiten.
Sofie Witthoeft

Über eine Bekannte habe ich zum ersten Mal von den „Patenschaften" gehört. Es gibt so
45 viele Kinder, die nach Österreich kommen und überhaupt kein Deutsch sprechen. Für jedes Kind wird ein Pate gesucht, der sich mit den Kindern beschäftigt, sodass sie spielerisch Deutsch lernen. Zurzeit betreue ich einen Jun-
50 gen aus Afghanistan. Wir spielen zusammen, kochen oder machen Hausaufgaben. Manchmal machen wir auch einen Ausflug in die Berge. Mittlerweile sind wir richtig gute Freunde geworden. Ich kann nicht sagen, ob ich ihm
55 mehr gebe oder er mir. Meine eigene Zufriedenheit ist jedenfalls stark gestiegen, seitdem ich mich sozial engagiere. Ingrid Pichler

b **Lesen Sie den Text in a noch einmal. Machen Sie eine Tabelle und ergänzen Sie.**

Wer?	Was macht die Person?	Für welche Organisation?	Warum?
Richard Doebel	geht in Schulen und Kindergärten ...		
Tobias Mattsen	nichts	/	

c **Lesen Sie noch einmal und markieren Sie Nomen mit den angegebenen Endungen. Ergänzen Sie dann.**

GRAMMATIK

Adjektiv + -heit/-keit → **Nomen**
dankbar + *-keit* → die Dankbarkeit
frei + ____________ → die ____________
zufrieden + ____________ → die ____________

Adjektiv + -ismus → **Nomen**
tour-istisch + *-ismus* → der Tourismus

Nomen + -ler → **Nomen (Personen)**
Sport + *-ler* → der Sportler

Verben auf -ieren + -ant/-ent → **Nomen (Personen)**
stud-ieren + ____________ → der ____________ / die ____________
demonstr-ieren + ____________ → der ____________ / die ____________

8 Kreuzworträtsel: Arbeiten Sie auf Seite 86.

Ihre Partnerin / Ihr Partner arbeitet auf Seite 89.

9 Engagieren Sie sich oder kennen Sie Personen, die sich engagieren?

Erzählen Sie.

10 Unsere Bürgerinitiative

a **Arbeiten Sie in Gruppen und bilden Sie eine Bürgerinitiative. Geben Sie sich einen Namen und überlegen Sie sich Forderungen und Aufgaben. Machen Sie ein Plakat.**

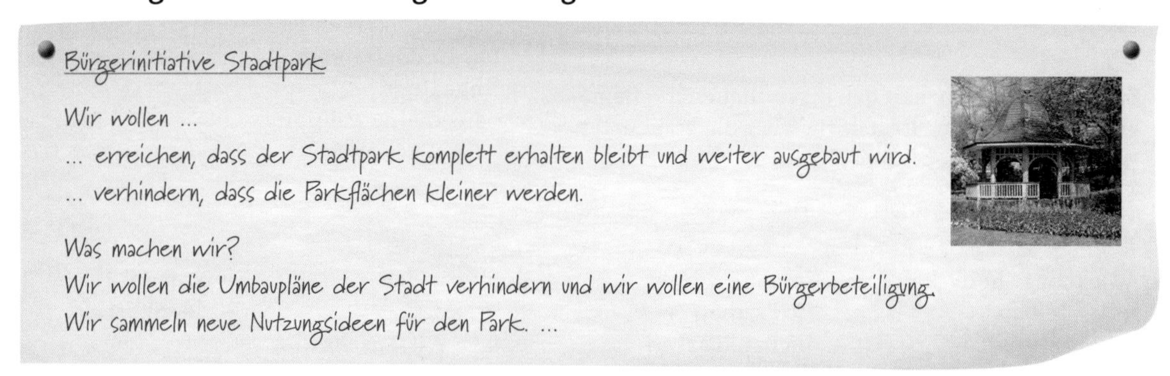

b **Stellen Sie Ihre Bürgerinitiative im Kurs vor. Würden sich die anderen auch dort engagieren?**

■ Wir von der Bürgerinitiative ... wollen ... Außerdem wollen wir ... einführen/verhindern.
● Das finde ich großartig. Da würde ich sofort mitmachen.

AB **11 Diskussionen**

Diktat

a Lesen Sie die Aussagen. Sind Sie gleicher oder anderer Meinung? Machen Sie Notizen.

1 Kinder sollten die ersten drei Jahre von ihren Eltern oder Großeltern betreut werden.
2 Die Höchstgeschwindigkeit auf Autobahnen sollte 120 km/h betragen.
3 Autos sollten in den Innenstädten verboten werden.

KOMMUNIKATION

eine Meinung äußern	**und darauf reagieren**
Da bin ich gleicher / (völlig) anderer Meinung.	Nein, auf keinen Fall.
Das sehe ich auch so / nicht so.	Das ist doch Unsinn!
Dafür/Dagegen spricht, dass	Unbedingt!
Meiner Meinung/Ansicht nach ...	Ganz meine Meinung.
Davon halte ich nicht viel, denn ...	

1 ja, Kinder zu Hause besser betreut
...

b Arbeiten Sie in Kleingruppen und diskutieren Sie.

■ Kinder sollten die ersten drei Jahre zu Hause bleiben. Das sehe ich auch so. Zu Hause sind Kinder viel besser betreut.
● Ganz meine Meinung.
▲ Das ist doch Unsinn! Da bin ich völlig anderer Meinung. Meiner Ansicht nach ...

Audiotraining | Karaoke

GRAMMATIK

zweiteilige Konjunktionen:

entweder ... oder = oder

Die Gründe waren entweder nicht eingehaltene Wahlversprechen oder die Skandale einiger Minister.

weder ... noch = nicht ... und nicht ...

Weder waren den jungen Leuten die Volksvertreter volksnah genug, noch konnten sie die Parteien gut genug voneinander unterscheiden.

zwar ... aber = obwohl

Zwar hält die Mehrheit der Jugendlichen die Demokratie für die beste Staatsform, aber die etablierten Parteien profitieren kaum davon.

KOMMUNIKATION

diskutieren: eine Meinung äußern

Da bin ich gleicher / (völlig) anderer Meinung.
Das sehe ich auch so / nicht so.
Dafür/Dagegen spricht, dass ....
Meiner Meinung/Ansicht nach ...
Davon halte ich nicht viel, denn ...

diskutieren: auf Meinungsäußerungen reagieren

Nein, auf keinen Fall.
Das ist doch Unsinn!
Unbedingt!
Ganz meine Meinung.

Wortbildung

Adjektiv + -heit/-keit	**→ Nomen**
frei + *-heit*	→ die Freiheit
dankbar + *-keit*	→ die Dankbarkeit

auch so: Fröhlichkeit, Zufriedenheit

Adjektiv + -ismus	**→ Nomen**
tour-istisch + *-ismus*	→ der Tourismus

auch so: Aktivismus, Optimismus, Sozialismus

Nomen + -ler	**→ Nomen**
Sport + *-ler*	→ der Sportler

auch so: Wissenschaftler

Verben auf -ieren + -ant/-ent	**→ Nomen**
stud-ieren + *-ent*	→ der Student
demonstr-ieren + *-ant*	→ der Demonstrant

auch so: Abonnent, Konkurrent, Assistent, Praktikant

Gut Stellshagen – ein Haus im Wandel der Zeit

Es ist das Jahr 1925. Franz Bach, ein Bauingenieur aus Hamburg, baut für seinen Sohn auf einem Hügel im Landkreis Nordwest-Mecklenburg ein Haus mit 14 Zimmern. Zwar nennen die Leute im Dorf das Gutshaus „Schloss", aber auf Gut Stellshagen leben keine Adeligen, sondern ganz normale Leute: Franz Bach junior ist Landwirt. 5

Es bleibt weder Zeit für die Ernte noch für das Erntefest, als im Herbst 1939 der Krieg ausbricht. Zum Glück aber bleibt das Gut von Bomben verschont. Lore, die Tochter des Landwirts, heiratet und bekommt Kinder. 1944 kommen Flüchtlinge aus dem Osten. Es geht ihnen schlecht. 10 Sie haben Hunger und frieren. Doch alle finden Platz auf Gut Stellshagen. Entweder schlafen sie im Haupthaus, in der Scheune oder in den Häusern der Arbeiter.

Es ist Frühling, als 1945 endlich Frieden einkehrt. Zuerst kommen die Amerikaner, dann die Russen. Lore muss ausziehen. Sie zieht mit ihrer Familie nach Hamburg. Ihr Vater bleibt noch eine Weile. 15 Zwischen ihm und dem sowjetischen Kommandanten entsteht fast so etwas wie Freundschaft. Gemeinsam verteilen sie den Grundbesitz an die Angestellten, so wie es die DDR-Regierung verlangt. Das Gut selbst wird zur Schule.

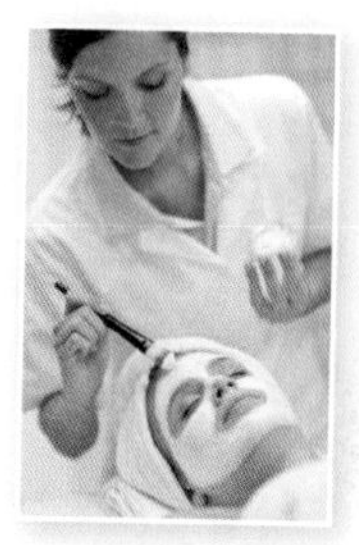

Nach der Wiedervereinigung 1989 steht das Gut fünf Jahre lang leer. Erst 1994 wird es von einer Heilpraktikerin aus Hamburg gekauft. Sie will aus 20 dem Haus ein Bio-Hotel machen. Dies ist nur möglich, weil jemand sie finanziell unterstützt: ihre Mutter Lore. 50 Jahre nachdem Lore das Haus durch den Kücheneingang verlassen hat, betritt sie es durch die gleiche Tür wieder. Die Familie renoviert das Gut und es wird 1996 als Hotel wiedereröffnet. Wo einst viele Menschen arbeiteten, erholt man sich heute.

1 Lesen Sie und ergänzen Sie die Tabelle.

	Wie wird das Gut Stellshagen genutzt?	Wer wohnt dort?
1925–1945	– landwirtschaftlicher Betrieb und Wohnhaus	– Franz Bach junior mit seiner Familie – später: seine Tochter Lore mit ihrer Familie – ab 1944: auch Flüchtlinge aus dem Osten
1946–1989		
1989–1994		
1994–1996	– keine Nutzung, Renovierung	
seit 1996		

2 Und Sie?

Würden Sie gern ein Wochenende im „Hotel Gutshaus Stellshagen" verbringen? Erzählen Sie.

1 Nachbarschaftshilfe Gundelfingen

a **Am Anfang des Films stellt Rudolf Wahl sich und die Nachbarschaftshilfe Gundelfingen vor. Was ist richtig? Was meinen Sie? Sehen Sie die Fotos an und kreuzen Sie an.**

1 Rudolf Wahl ist ◯ selbstständig. ◯ Rentner.
2 Die Nachbarschaftshilfe ist ◯ sein neues Hobby. ◯ seine neue Arbeit.
3 Die Nachbarschaftshilfe ◯ hilft bei der Wohnungssuche. ◯ bringt Menschen zusammen, die Hilfe brauchen und anbieten.

▶ Clip 6 **b** **Sehen Sie nun den Anfang des Films (bis 0:50) und vergleichen Sie.**

2 Wie funktioniert die Nachbarschaftshilfe?

a **Was meinen Sie? Was könnte die Nachbarschaftshilfe anbieten? Sammeln Sie zu zweit.**

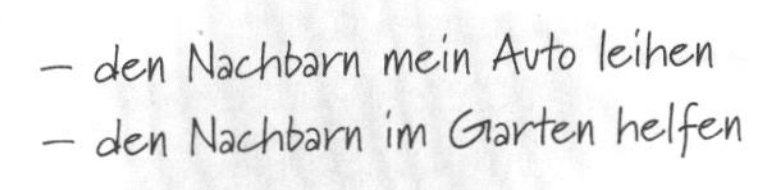

▶ Clip 6 **b** **Sehen Sie den Film nun bis zum Ende weiter (ab 0:51) und vergleichen Sie.**

▶ Clip 6 **c** **Sehen Sie den Film noch einmal (ab 0:51) und korrigieren Sie.**

1 Man kann jeden Vormittag bei der Nachbarschaftshilfe im Büro anrufen.
2 Menschen mit Behinderung können ihre Einkäufe telefonisch bestellen.
3 Es gibt in Gundelfingen viele Fachärzte.
4 Die Nachbarschaftshilfe ~~kann leider keine~~ *bietet* Autofahrten zu Ärzten ~~anbieten~~ *an*.
5 Menschen, die Hilfe brauchen, haben häufig viele soziale Kontakte.
6 Die Helfenden sind meist sehr dankbar für die Hilfe.
7 Rudolf Wahl empfiehlt allen Rentnern, sich in Nachbarschaftshilfe-Projekten zu engagieren.

3 Und Sie?

Könnten Sie sich vorstellen, bei einer Nachbarschaftshilfe mitzuarbeiten? Warum / Warum nicht? Erzählen Sie.

1 Welche Überschrift passt? Lesen Sie und ordnen Sie zu.

Politik ohne Staatsamt | Kindheit und Jugend in Lübeck | Politischer Aufstieg | Widerstand und Exil

Willy Brandt

____

Willy Brandt wird am 18. Dezember 1913 als Herbert Ernst Karl Frahm in Lübeck geboren. Seine Mutter Martha Frahm ist Verkäuferin. Seinen Vater lernt er nie kennen. Herbert Frahm wächst bei seinem Großvater Ludwig Frahm in Lübeck auf, der Kraftfahrer ist. Schon als Schüler schreibt er Zeitungsartikel für den Lübecker Volksboten. Bereits mit 16 Jahren wird er Mitglied der SPD.

____

Herbert Frahm kämpft unter dem Namen Willy Brandt von Anfang an gegen das NS-Regime. Im Frühjahr 1933 flieht er aus Lübeck nach Norwegen. Dort arbeitet er als Journalist und Dolmetscher. Nach der Besetzung Norwegens durch die Deutschen flieht Willy Brandt weiter nach Schweden.

____

Nach seiner Rückkehr aus dem Exil wechselt Willy Brandt in die deutsche Politik: Er möchte die Demokratie mit aufbauen. Von 1957 bis 1966 ist Willy Brandt Bürgermeister in Westberlin. 1964 wird er Vorsitzender der Bundes-SPD und wechselt 1966 nach Bonn. Dort wird er Außenminister und Vizekanzler in der Regierung von Kurt Georg Kiesinger (CDU).
Am 21. Oktober 1969 wird Willy Brandt zum ersten sozialdemokratischen Bundeskanzler gewählt. In der Außenpolitik steht Brandt für eine neue Ostpolitik, für die er 1971 den Friedensnobelpreis bekommt. Am 6. Mai 1974 tritt Willy Brandt wegen einer Spionage-Affäre von einem seiner Mitarbeiter als Bundeskanzler zurück. Er bleibt aber SPD-Vorsitzender.

____

Auch nach seinem Rücktritt engagiert Willy Brandt sich weiter politisch. 1987 wird er zum Ehrenvorsitzenden der SPD ernannt. Als 1989 die Berliner Mauer fällt, geht für Willy Brandt ein Traum in Erfüllung. Er stirbt am 8. Oktober 1992.

2 Politikerbiografien

a Wählen Sie eine Politikerin / einen Politiker aus einem deutschsprachigen Land oder Ihrem Heimatland. Recherchieren Sie ihren/seinen Lebenslauf und machen Sie Notizen.

Geburtsdatum und Geburtsort:
am 18.12.1913 in Lübeck
Familie:
Ausbildung:
beruflicher Werdegang:
politische Karriere:

b Machen Sie eine Präsentation und suchen Sie passende Fotos. Stellen Sie Ihre Politikerin / Ihren Politiker im Kurs vor.

Das ist Willy Brandt. Er …

Willy Brandt (1913–1992)

Früher und heute

1 Gestern Abend hab' ich mich mit Opa ______________________ (terhalunten).
Am Ende war's wie immer: Er war ziemlich ungehalten!
Ach, Kinder, ich kenn' mich nicht mehr aus in dieser __________ (tlWe)!
Es gibt leider so viel, was mir heut' nicht mehr gefällt!
Wieso, weshalb, warum? – Das brauch' ich nicht zu fragen,
so ist das Leben eben heute, werdet ihr mir sagen!

Aber ich sag':
Früher war alles viel besser!
Früher, da war alles gut!
Früher war alles viel besser!
Ja früher, da fühlte ich mich gut!

2 Lieber Opa, ich weiß wirklich gar nicht, was du hast!
Da gibt's so einiges, was mir heute auch nicht ____________ (sapst)!
Wie ihr müssen wir uns mit der Geschichte arrangieren,
Altes prüfen, Neues wagen und uns engagieren (giergaenen).
Ich bin stolz darauf, dass ich ein Kind von Web 2.0 bin.
Die Welt rückt immer mehr zusammen – ich bin mittendrin!

Drum sag' ich:
Früher war gar nicht alles besser!
Früher war gar nicht alles gut!
Früher war gar nicht alles besser!
Ja heute, da fühle ich mich gut!

3 Ich brauch' die Wäsche nicht mehr mit der Hand zu ______________ (schenaw),
wenn ich ausgeh', wähl' ich zwischen zehn verschiedenen Taschen.
Ich kann mich selbst entscheiden, ich habe die Qual der __________ (haWl):
ob kurze oder lange Haare oder auch ganz kahl.
Ich brauch' heut' noch nicht zu wissen: Will ich mal Mama sein?
Windkraft-Ingenieurin? Professorin für Latein?
Ich hab' Freunde auf der ganzen Welt und einen tollen Mann.
Die Welt verändern ist der Wunsch, der treibt uns alle an!

Früher war gar nicht alles besser!
Früher war gar nicht alles gut!
Früher war einfach alles anders,
und vor dir, da ziehe ich den Hut!

▶ 2 25 **1 Lesen Sie den Text und schreiben Sie die Wörter richtig.**
Hören Sie dann das Lied und vergleichen Sie.

2 Was war früher anders?
Arbeiten Sie zu zweit: Lesen Sie den Text noch einmal und ergänzen Sie die Tabelle.
Ergänzen Sie auch eigene Beispiele.

früher	heute
Wäsche mit der Hand waschen	Waschmaschine
Festnetztelefon	Handy, Videoanrufe
Brief	E-Mail
…	…

3 Was war früher besser/schlechter? Was gefällt Ihnen heute gut / nicht so gut?
Sprechen Sie in Gruppen.

Je älter ich wurde, desto ... 19

Hören: Präsentation auf einer Pressekonferenz

Sprechen: eine Präsentation halten und Nachfragen stellen: *Ich würde gern wissen, ...*

Wortfelder: Landschaft und Tourismus

Grammatik: zweiteilige Konjunktion *je ... desto/umso ...*; Modalpartikeln *denn, doch, eigentlich, ja*

1 **Sehen Sie das Foto an.**
Wo sind die Personen und was passiert hier? Was meinen Sie?

Fasching/Karneval | Hochzeit | Kostümfest | Volksfest | Mittelalterfest | Theaterfestival | ...

Ich vermute, dass die beiden Frauen auf einem ... sind. ...

▶ 3 01 **2** **Hören Sie und lesen Sie dann.**
Beantworten Sie die Fragen und vergleichen Sie mit Ihren Vermutungen in 1.

a Was wird gefeiert?
b Welchen Titel trägt Inga Malin Peters im nächsten Jahr?
c Welche Aufgaben hat sie in dieser Zeit?

Beim Heideblütenfest in Schneverdingen wurde Inga Malin Peters (22) zur neuen Heidekönigin ernannt. Sie wird nun ein Jahr lang die Lüneburger Heide bei Veranstaltungen in ganz Deutschland vertreten.

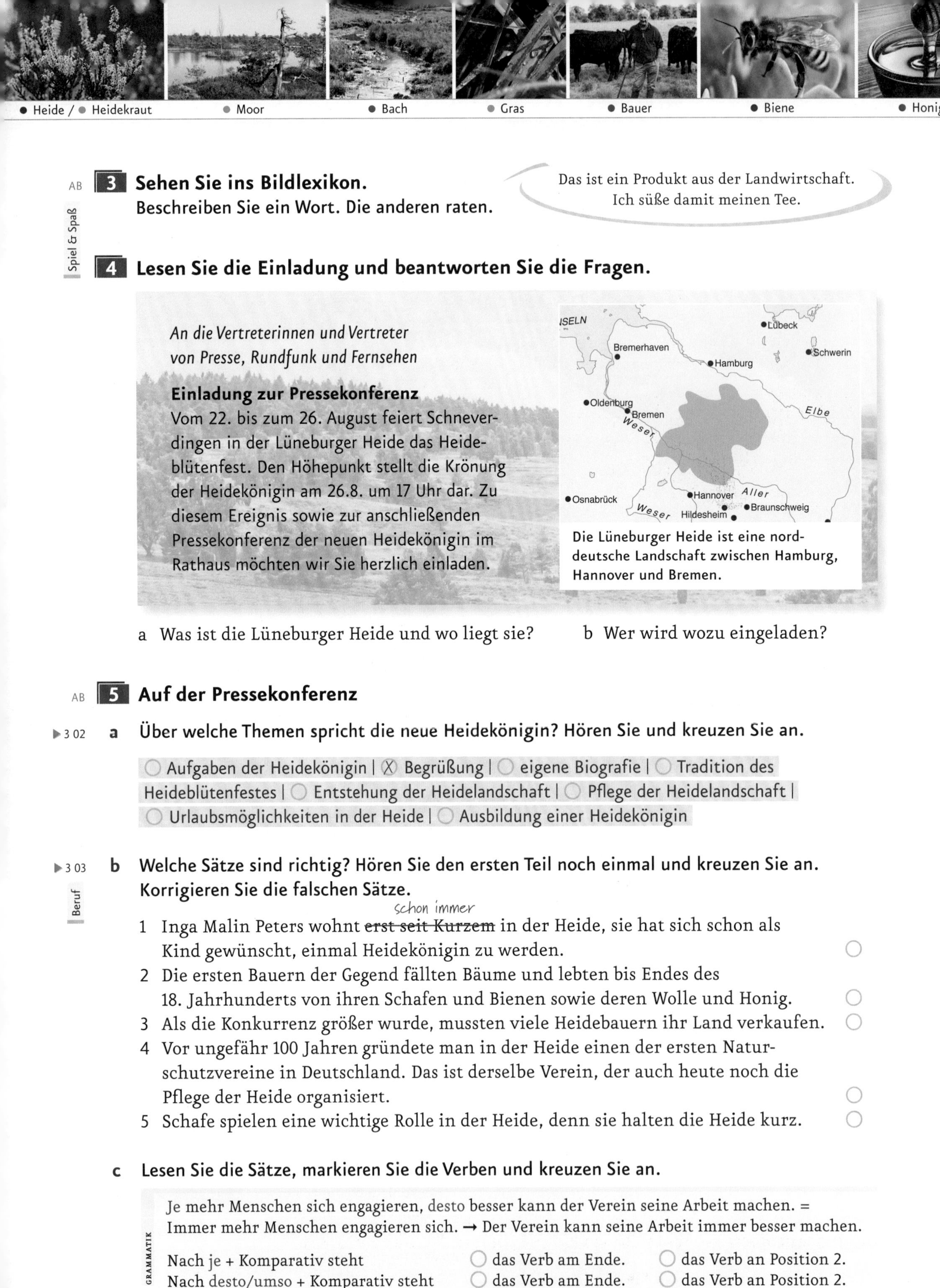

● Heide / ● Heidekraut ● Moor ● Bach ● Gras ● Bauer ● Biene ● Honig

AB **3** **Sehen Sie ins Bildlexikon.**
Beschreiben Sie ein Wort. Die anderen raten.

> Das ist ein Produkt aus der Landwirtschaft. Ich süße damit meinen Tee.

Spiel & Spaß

4 **Lesen Sie die Einladung und beantworten Sie die Fragen.**

An die Vertreterinnen und Vertreter von Presse, Rundfunk und Fernsehen

Einladung zur Pressekonferenz
Vom 22. bis zum 26. August feiert Schneverdingen in der Lüneburger Heide das Heideblütenfest. Den Höhepunkt stellt die Krönung der Heidekönigin am 26.8. um 17 Uhr dar. Zu diesem Ereignis sowie zur anschließenden Pressekonferenz der neuen Heidekönigin im Rathaus möchten wir Sie herzlich einladen.

Die Lüneburger Heide ist eine norddeutsche Landschaft zwischen Hamburg, Hannover und Bremen.

a Was ist die Lüneburger Heide und wo liegt sie? b Wer wird wozu eingeladen?

AB **5** **Auf der Pressekonferenz**

▶ 3 02 **a** **Über welche Themen spricht die neue Heidekönigin? Hören Sie und kreuzen Sie an.**

○ Aufgaben der Heidekönigin | ⊗ Begrüßung | ○ eigene Biografie | ○ Tradition des Heideblütenfestes | ○ Entstehung der Heidelandschaft | ○ Pflege der Heidelandschaft | ○ Urlaubsmöglichkeiten in der Heide | ○ Ausbildung einer Heidekönigin

▶ 3 03 **b** **Welche Sätze sind richtig? Hören Sie den ersten Teil noch einmal und kreuzen Sie an. Korrigieren Sie die falschen Sätze.**

Beruf

1 Inga Malin Peters wohnt ~~erst seit Kurzem~~ *schon immer* in der Heide, sie hat sich schon als Kind gewünscht, einmal Heidekönigin zu werden. ○
2 Die ersten Bauern der Gegend fällten Bäume und lebten bis Endes des 18. Jahrhunderts von ihren Schafen und Bienen sowie deren Wolle und Honig. ○
3 Als die Konkurrenz größer wurde, mussten viele Heidebauern ihr Land verkaufen. ○
4 Vor ungefähr 100 Jahren gründete man in der Heide einen der ersten Naturschutzvereine in Deutschland. Das ist derselbe Verein, der auch heute noch die Pflege der Heide organisiert. ○
5 Schafe spielen eine wichtige Rolle in der Heide, denn sie halten die Heide kurz. ○

c **Lesen Sie die Sätze, markieren Sie die Verben und kreuzen Sie an.**

GRAMMATIK

Je mehr Menschen sich engagieren, desto besser kann der Verein seine Arbeit machen. =
Immer mehr Menschen engagieren sich. → Der Verein kann seine Arbeit immer besser machen.

Nach je + Komparativ steht ○ das Verb am Ende. ○ das Verb an Position 2.
Nach desto/umso + Komparativ steht ○ das Verb am Ende. ○ das Verb an Position 2.

Spiel & Spaß

d **Vergleiche: Je älter ich wurde, desto/umso … Arbeiten Sie zu zweit auf Seite 87.**

AB

6 Gibt es denn noch Fragen von Ihrer Seite?

▶3 04 noch einmal?

a **Hören Sie die Präsentation weiter und beantworten Sie die Fragen.**

1 Wann ist die Hauptsaison in der Lüneburger Heide? *Von …*
2 Welche Übernachtungsmöglichkeiten gibt es?
3 Für welche Urlaubsaktivitäten eignet sich die flache Heide besonders?

▶3 04 Diktat

b **Was passt? Ergänzen Sie die passenden Redemittel und verbinden Sie. Nicht alle Sätze passen. Hören Sie dann noch einmal und vergleichen Sie.**

Ich hätte auch noch eine Frage: Wissen Sie eigentlich schon, … | Ich würde Sie gern etwas fragen. Gibt es denn auch … | Darf ich Sie etwas fragen? | ~~Ich würde gern wissen, …~~

Ich würde gern wissen, wer denn all die Arbeiten zur Erhaltung der Heide organisiert?

____

______________________________ ein Heimatmuseum, in dem man sich ansehen kann, wie das Leben hier früher aussah?

____

______________________________ wo Sie Ihren nächsten Auftritt haben?

Ach, das hätte ich fast vergessen: In Wilsede finden Sie „Dat ole Hus". Dort wird gezeigt, wie Heidebauern um 1850 lebten und arbeiteten.

Auf jeden Fall werde ich bei der Tourismusmesse in Berlin dabei sein.

Ich habe Ihnen ja vorhin vom Naturschutzverein erzählt. Der Verein lebt von unserer Mithilfe, auch finanziell. Auch Sie könnten doch zum Beispiel eine Patenschaft für eine Heidschnucke übernehmen.

Spiel & Spaß

c **Markieren Sie die Modalpartikeln *denn, doch, eigentlich* und *ja* in b und ergänzen Sie.**

GRAMMATIK

Mit *denn* und ______________ machen Sie Fragen freundlicher.
Mit ______________ machen Sie Bitten und Aufforderungen freundlicher.
Mit ______________ nehmen Sie Bezug auf gemeinsames Wissen.

d **Arbeiten Sie zu zweit und stellen Sie eine Frage über die Heide. Tauschen Sie dann die Frage mit einem anderen Paar. Sie denken sich eine Antwort aus. Verwenden Sie *denn* oder *eigentlich* in der Frage und *ja* oder *doch* in der Antwort.**

Wir würden gern wissen, ob man in der Heide eigentlich auch wild zelten darf.

Nein, aber es gibt ja 20 wunderschöne Campingplätze.

7 Präsentation einer Urlaubsregion: Arbeiten Sie auf Seite 88.

AB **8 Königinnen und Könige in unserem Kurs**

a Arbeiten Sie in Gruppen und ernennen Sie jedes Gruppenmitglied zu einer Königin / einem König. Einigen Sie sich auch, welche Aufgaben die Königin / der König hat.

Grammatik | Lachen | Backen | Sprechen | Schreiben | …

■ Ich würde dich, Beatriz, zur Backkönigin ernennen. Du hattest gestern wieder so eine feine Aprikosentorte dabei. Dieselbe hat meine Mutter früher auch immer gebacken.
● Was wären denn meine Aufgaben?
■ Du müsstest uns einmal im Monat einen Kuchen backen.
▲ Ja, und außerdem hätten wir gern jede Woche ein neues Rezept.
● Okay, das mache ich gern.

Backkönigin Beatriz
Aufgaben: einmal im Monat einen Kuchen für den Kurs backen, …

INFO
• derselbe
• dasselbe
• dieselbe

b Erzählen Sie im Kurs von Ihren Königinnen/Königen und deren Aufgaben.

Beatriz ist unsere Backkönigin. Als Backkönigin hat sie folgende Aufgaben: …

Audiotraining | Karaoke

GRAMMATIK

zweiteilige Konjunktion *je … desto/umso …*	
Nebensatz	**Hauptsatz**
Je mehr Menschen sich engagieren,	desto/umso besser kann der Verein seine Arbeit machen.

Modalpartikeln *denn, doch, eigentlich, ja*	
freundliche Fragen	Gibt es denn/eigentlich auch ein Heimatmuseum?
freundliche Bitten und Aufforderungen	Auch Sie könnten doch zum Beispiel eine Patenschaft übernehmen.
Bezug auf gemeinsames Wissen	Ich habe Ihnen ja vorhin vom Naturschutzverein erzählt.

KOMMUNIKATION

Fragen zu einer Präsentation stellen
Ich würde gern wissen, … Ich würde Sie gern etwas fragen. Gibt es denn auch … Ich hätte auch noch eine Frage: Wissen Sie eigentlich schon, … Darf ich Sie etwas fragen?

20 Die anderen werden es dir danken!

Sprechen: Regeln diskutieren: *Das finde ich unheimlich wichtig.*

Lesen: Sachtext: Hausordnung

Schreiben: Gästebucheintrag

Wortfeld: in den Bergen

Grammatik: Konjunktionen *indem, sodass*

1 Sehen Sie das Foto an und beantworten Sie die Fragen.

a Was meinen Sie? Wer und wo sind die Personen? Worüber sprechen sie?

▶ 3 05 **b** Hören Sie und kreuzen Sie an.

Beruf

1 Der Hüttenwirt begrüßt ○ einen Gast. ○ einen Freund.
2 In den Bergen ○ duzen ○ siezen sich alle.
3 Der Gast hat nicht reserviert und bekommt ○ deshalb keinen Schlafplatz mehr. ○ trotzdem noch einen Schlafplatz.
4 Im Schlafraum sollen die Gäste ihre Schuhe ○ ausziehen. ○ anziehen.

2 Haben Sie schon Erfahrungen mit dem Bergwandern gemacht?
Würden Sie gern mal eine Bergwanderung machen? Erzählen Sie.

• Hütte • Proviant • Gastraum • Terrasse • Aussicht • Wolldecke • Schlafsack

AB **3** **Unsere Hüttenregeln**

Spiel & Spaß

a Welchen Zweck haben die Regeln? Überfliegen Sie den Text und ordnen Sie zu. Hilfe finden Sie im Bildlexikon.

Sie dienen nur der eigenen Sicherheit: 1, ______________________

Sie regeln das Verhalten gegenüber anderen: ______________________

interessant?

Unsere Hüttenregeln gelten auch für dich!

1. Rechtzeitig reservieren: In einer Stadt gibt es viele Hotels, sodass du dich leicht auf die Suche nach einer anderen Unterkunft machen kannst. Anders ist es in den Bergen, wo die nächste Hütte weit entfernt ist. Daher muss man unbedingt vorher anrufen und buchen.

2. Duzen: Hast du die ersten tausend Höhenmeter geschafft, gibt es eine Belohnung: Ab jetzt darfst du die anderen Wanderer duzen, denn hier oben fühlt man sich als Gemeinschaft. Man hat das gleiche Ziel und hilft einander, sodass es im Notfall zu kompliziert wäre, „Sie" zu sagen.

3. Eigenes Essen: Auf der Hütte solltest du deinen Proviant besser im Rucksack lassen. Denn hier ist es untersagt, sein eigenes Essen auszupacken. Zeig, dass du ein guter Gast bist, indem du dir einen Imbiss von der Speisekarte bestellst.

4. Wanderschuhe: Auf einer Bergtour tritt man in Pfützen und läuft durch den Wald. Es ist also kaum zu vermeiden, dass Dreck und Steine im Profil deiner Stiefel hängen bleiben. Darum solltest du deine Schuhe nicht in der Hütte tragen.

5. Hüttenschlafsack: Hütten werden meist nur von einem Wirt oder einem Wirtsehepaar bewirtschaftet. Du hilfst ihnen, indem du deinen eigenen Schlafsack mitbringst. Ein leichter Hüttenschlafsack reicht aus. Meistens findet man nur einfache Matratzenlager mit Wolldecken in den Hütten.

6. Nachtruhe zwischen 22 und 6 Uhr: Nimm Rücksicht auf das Wohl der anderen Gäste. Wenn du schon früher aufbrechen willst, geh leise aus dem Schlafraum, sodass du niemanden aufweckst. Für deine eigene Nachtruhe sorgst du, indem du Ohrstöpsel mitnimmst. Liegt ein Schnarcher neben dir, machst du sonst kein Auge zu.

7. Taschenlampe/Stirnlampe mitbringen: Du hast nach einer anstrengenden, steilen Wanderung ausreichend getrunken? Gut so. Wenn du eine kleine Lampe benutzt, sorgst du nachts bei Toilettengängen dafür, dass du nicht das Deckenlicht anmachen musst. Die anderen werden es dir danken!

8. Bezahlen: Auf einer Berghütte empfiehlt es sich, ausreichend Bargeld dabei zu haben. Überleg vorher, wie viel du ungefähr brauchen wirst. Für eine Übernachtung musst du mit etwa 20 Euro rechnen.

9. Hüttenbucheintrag: Jeder Gast sollte sich grundsätzlich in das Hüttenbuch eintragen. Indem du Route und Ziel deiner Bergtour notierst, sorgst du dafür, dass du auch gefunden wirst, falls du verunglückst oder in Lebensgefahr gerätst.

10. Müll mitnehmen: Die schönsten Hütten sind nicht mit der Gondel erreichbar. Auch der Wirt muss selbst aufsteigen und mühsam alles an- oder abtransportieren. Hilf ihm, indem du sparsam mit den Ressourcen umgehst und deine Abfälle selbst wieder mit ins Tal nimmst.

b **Was machen wir falsch? Lesen Sie die Hüttenregeln noch einmal und wählen Sie drei Regeln. Spielen Sie eine Szene und machen Sie möglichst viele Fehler. Die anderen beschreiben, was Sie falsch machen.**

■ Ihr kommt bei der Hütte an und setzt euch auf die Terrasse.
● Ja, und dort packt ihr euren Proviant aus. Aber das ist nicht erlaubt. ...

Spiel & Spaß

c **Ergänzen Sie *indem* und *sodass* in der Tabelle. Hilfe finden Sie im Text in a.**

GRAMMATIK

Mittel	Resultat
Geh leise aus dem Schlafraum,	__________ du niemanden aufweckst.
__________ du leise aus dem Schlafraum gehst,	weckst du niemanden auf.
__________ du Route und Ziel deiner Bergtour notierst,	kannst du gefunden werden, falls du verunglückst.
Notiere Route und Ziel deiner Bergtour,	__________ du gefunden werden kannst, falls du verunglückst.

AB **4** **Mittel und Resultate angeben: Arbeiten Sie zu viert auf Seite 90.**

AB **5** **Wie finden Sie die Hüttenregeln?**

Diktat

a **Machen Sie Notizen und schreiben Sie passende Redemittel auf Kärtchen.**

Diese Vorschriften finde ich sinnvoll: __________
Diese Vorschriften finde ich nicht so gut: Nachtruhe, __________
Diese Vorschriften fehlen mir: Handyverbot, __________

KOMMUNIKATION

Regeln diskutieren
Davon halte ich (nicht) sehr viel. | Das lehne ich ab. | Das wäre für mich undenkbar. | Das finde ich fair/unfair. | Das finde ich unheimlich wichtig. | Wesentlich wichtiger finde ich ... | Es kommt darauf an, wie man das sieht. | Ich lege größten Wert auf ... / darauf, dass ... | Die Hauptsache ist, dass ... | Man kann schon verlangen, dass ...

b **Diskutieren Sie in Gruppen.**

■ Von der Regel zur Nachtruhe halte ich nicht viel. Ich gehe selten vor Mitternacht ins Bett.
● Ich finde das schon wichtig. Sonst ist immer irgendjemand auf und laut.
▲ Ja, das denke ich auch. Wesentlich wichtiger finde ich aber ein Handyverbot. Ich möchte nicht dauernd durch klingelnde Handys gestört werden. ...
■ Wirklich? Das wäre für mich undenkbar.

6 Gästebuch

a Lesen Sie und ergänzen Sie. Nicht alle Wörter passen.

begeistert | gemütlich | geschmeckt | Mal | Portion | treten | Übernachtung | wiederkommen

Wir waren nun schon zum zweiten ________________ hier. Es hat uns wieder ausgezeichnet gefallen, sodass wir sicher bald ________________. Das Essen war lecker, vor allem der Kaiserschmarrn hat den Kindern sehr gut ________________. Die ________________ war sehr groß, sodass fast unsere ganze Familie davon satt geworden ist! Die Terrasse ist sehr ________________ und man hat einen wunderbaren Bergblick. Auch der Besuch im Schachenschloss hat uns ________________.

Familie Burger, Rostock, 27. Juli

b Schreiben Sie einen Gästebucheintrag. Wählen Sie einen Ort oder einen Anlass. Machen Sie Notizen und bringen Sie die Notizen in eine passende Reihenfolge.

öffentliche Orte: Hotel | Seminarhaus | Berghütte | Restaurant | Museum | ...
private Anlässe: Hochzeit | Besuch bei Freunden | Geburtstag | Volljährigkeit | ...

Ort/Anlass: Museum: Hundertwasser-Ausstellung
Was wünschen Sie sich / dem Gastgeber / der Institution? / ...
viele interessierte Besucher
Möchten Sie sich bedanken? Wenn ja, wofür? tolle Ausstellung
Was hat Ihnen besonders gut gefallen? der Film über Hundertwasser
Möchten Sie dem Gastgeber / der Institution einen Rat geben?
Wenn ja, welchen? der Film sollte umsonst sein

GRAMMATIK

Audiotraining | Karaoke

Konjunktionen *indem* und *sodass*	
Mittel	**Resultat**
Indem du Route und Ziel deiner Bergtour notierst,	kannst du gefunden werden, falls du verunglückst.
Notiere Route und Ziel deiner Bergtour,	sodass du gefunden werden kannst, falls du verunglückst.

KOMMUNIKATION

Regeln diskutieren

Davon halte ich (nicht) sehr viel.
Das lehne ich ab.
Das wäre für mich undenkbar.
Das finde ich fair/unfair.
Das finde ich unheimlich wichtig.
Wesentlich wichtiger finde ich ...
Es kommt darauf an, wie man das sieht.
Ich lege größten Wert auf ... / darauf, dass ...
Die Hauptsache ist, dass ...
Man kann schon verlangen, dass ...

21 Vorher muss natürlich fleißig geübt werden.

Hören: Radiointerview

Sprechen: etwas anpreisen: ... *ist immer einen Besuch wert.*

Schreiben: Werbetext

Lesen: Blog

Wortfelder: Konzerte und Veranstaltungen

Grammatik: lokale und temporale Präpositionen *innerhalb, außerhalb, ...* Passiv Präsens mit Modalverben: *Es muss fleißig geübt werden.*

1 Und jetzt lächeln!

a Sehen Sie das Foto an.
Was passiert hier und wer sind die drei Frauen? Was meinen Sie?

> Ich denke, die drei Frauen arbeiten in einem Jugendzentrum. Vielleicht sind sie Sozialpädagoginnen.

▶ 3 06 b Hören Sie und kreuzen Sie an.

	richtig	falsch
1 Die Frauen machen Musik und gehen auf eine Tournee.	○	○
2 Ein Fotograf schießt ein Foto für einen Artikel.	○	○

2 Was für Musik machen die Frauen? Was meinen Sie?

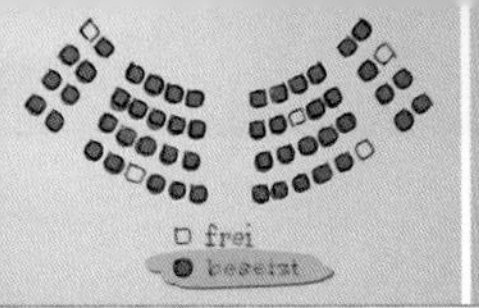

● Publikum | besetzt | ● Fan | ● Autogramm | ● Interview | ● Lampenfieber | ● Soundcheck

Spiel & Spaß

3 Arbeiten Sie zu zweit.
Einigen Sie sich auf einen Begriff aus dem Bildlexikon und notieren Sie jeweils Ihre Assoziationen. Erzählen Sie dann.

Lampenfieber: aufgeregt, Theater, Schulaufführung

Bei „Lampenfieber" muss ich an meine erste Schultheateraufführung denken ...

AB

4 Die „Wonnebeats" auf Tournee

a In welchen Städten spielt die Band auf ihrer Tournee? Überfliegen Sie den Blog und notieren Sie.

12. Juni Endlich! Es geht los. Innerhalb weniger Tage reisen wir kreuz und quer durch Deutschland und die Schweiz und geben mehrere „Wonnebeats"-Konzerte. Die Generalprobe gestern Abend war ein totaler Misserfolg – hoffentlich ein gutes Zeichen ☺! Jetzt geht es über Bonn, Köln und Wuppertal mitten ins Herz des Ruhrgebiets – nach Essen. (5) Übermorgen um diese Zeit ist schon Soundcheck! Wir freuen uns darauf!

13. Juni Man möchte meinen, Essen ist groß genug, um es zu finden. Doch wir verfahren uns mehrmals im Gewirr der Autobahnen und verpassen die richtige Ausfahrt. Trotz Navi fahren wir dreimal um das Zentrum herum. Völlig erschöpft kommen wir schließlich im Hotel an, (10) wo ein freundlicher Konzertveranstalter und drei riesengroße Schnitzel auf uns warten. Kein Problem, dass Barbara Vegetarierin ist. Ihr Schnitzel wird gegen einen vegetarischen Burger ausgetauscht.

14. Juni Bis zum Soundcheck ist noch etwas Zeit. Solange sehen wir uns ein paar Sehenswürdigkeiten in der Umgebung an. Andrea will unbedingt ins „Museum Folkwang", (15) moderne Kunst ansehen. Barbara hat vor, uns in die alte Synagoge zu schleppen. Das bringt uns auf andere Gedanken. So kann kein Lampenfieber aufkommen. Das Konzert findet übrigens auf dem Gelände einer ehemaligen Zeche statt. Drückt uns die Daumen!

15. Juni Nach einem wundervollen Konzert mit großartigem Publikum geht es am Rhein entlang nach Basel. Unser allererstes Konzert in der (20) Schweiz! Bisher sind wir nur innerhalb Deutschlands aufgetreten. Der Veranstaltungsort, ein altes Weingut, liegt allerdings etwas außerhalb der Stadt. Entgegen unseren sonstigen Gewohnheiten ist das Konzert am Nachmittag noch nicht ganz ausverkauft. Wer also heute Abend tolle Songs hören will: Wir freuen uns, wenn Ihr noch kommt!

(25) **16. Juni** Erst mal ein dickes DANKESCHÖN an alle, die am gestrigen Abend noch für ein volles Haus und großartige Stimmung gesorgt haben! Jetzt sind wir wieder unterwegs nach Deutschland. Während ich (Julia) an unserem Blog schreibe, sitzt Andrea am Steuer. Barbara sorgt für uns, indem sie selbstgebackenes Gebäck herumreicht. Man merkt eben doch, dass wir eine Mädchenband sind ☺. Heute Abend spielen wir in Augsburg. Dort (30) wird wieder alles bis zum letzten Platz besetzt sein.

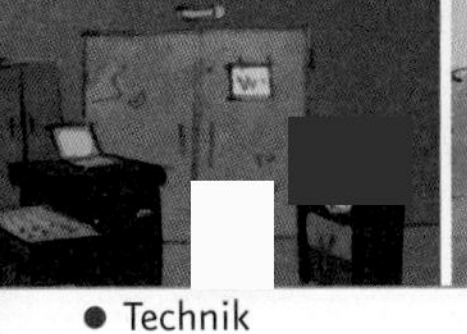
• Technik

• Tournee-Bus

• Konzertsaal

• Plakat

• Notausgang

• Lautsprecher

• Garderobe

Wow, was für ein Empfang! Am Straßenrand hängen Plakate der „Wonnebeats" und am Nachmittag gibt es eine private Stadtführung durch Augsburg. Der Konzertveranstalter führt uns an den Stadtbächen entlang in die „Fuggerei". Das Stadtviertel mit den kleinen,
35 aber hübschen Häuschen ist die älteste Sozialsiedlung der Welt. Der reiche Kaufmann Jakob Fugger gründete sie 1516 mit seinen Brüdern für schuldlos in Not geratene Augsburger. Als kleine Band lernt man all die wunderbaren Ecken außerhalb der Großstadtgebiete kennen. In diesen Genuss kommen Weltstars sicher nicht ☺!

40 **17. Juni** Nach dem Konzert mischen wir uns unter das Publikum. Innerhalb weniger Minuten stehen viele Fans um uns herum und wollen Autogramme. Krönender Abschluss: ein Radiointerview. Das könnt Ihr morgen hier nachhören!

b Lesen Sie den Blog noch einmal und beantworten Sie die Fragen.

1 Wie ist die Generalprobe gelaufen? | 2 Was passiert auf der Fahrt nach Essen?
3 Was machen die Musikerinnen gegen ihr Lampenfieber vor dem Konzert in Essen?
4 Was ist ungewöhnlich bei dem Konzert in Basel? | 5 Was hat der Konzertveranstalter in Augsburg organisiert? | 6 Was ist die „Fuggerei"?

AB 5 An den Bächen entlang

Spiel & Spaß

a Markieren Sie die Präpositionen im Text in 4a und ordnen Sie zu.

innerhalb | außerhalb | um … herum | an/am … entlang | innerhalb | außerhalb

1 __________ das Zentrum __________

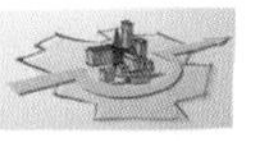

2 __________ Fluss __________

3 __________ des Landes; __________ des Landes

4 __________ weniger Tage

5 __________ der Öffnungszeiten

GRAMMATIK
lokal
um … herum + Akkusativ
an/am … entlang + Dativ
lokal + temporal
innerhalb, außerhalb + Genitiv

▶ 3 07 **b Außerhalb des Dorfes liegt … Arbeiten Sie auf Seite 91.**

6 Welchen Ort aus dem Blog würden Sie gern besuchen? Warum?

Ich würde mir gern die „Fuggerei" ansehen. In einem Stadtviertel, das im 16. Jahrhundert gegründet wurde, kommt man sich bestimmt vor wie in einer anderen Welt.

AB **7** **Radiointerview mit den „Wonnebeats"**

▶ 3 08 **a Über welche Themen wird in dem Interview gesprochen? Hören Sie und erzählen Sie.**

○ Theaterproduktionen | ○ Verteilung von Aufgaben vor der Tournee | ○ Verantwortlichkeiten während der Tournee | ○ Schwierigkeiten während der Tournee | ○ Erfahrungen bei der Tournee | ○ Erwartungen an die Tournee | ○ Erfahrungen beim Workshop

Zunächst erzählen die Musikerinnen von ihrer/ihren …

▶ 3 09 **b Welche Aufgaben werden erwähnt? Hören Sie den ersten Teil des Interviews noch einmal und kreuzen Sie an.**

noch einmal?

vorher fleißig üben	○	Noten einpacken	○
Auftrittsmöglichkeiten suchen	○	Fahrer buchen	○
Verträge machen	○	Tour-Auto saugen und volltanken	○
Plakate und Informationsmaterial verschicken	○	Verpflegung für die Fahrt vorbereiten	○
Hotelzimmer buchen	○	Zustand der Instrumente prüfen	○
Papiere ordnen	○	Technik bereitstellen	○
Veranstaltungsorte suchen	○	Plakate aufhängen	○
sich um die Kostüme kümmern	○		

Spiel & Spaß

c Was muss vor der Tournee gemacht werden? Lesen Sie die Tabelle und sprechen Sie dann über die Aufgaben in b.

GRAMMATIK

Passiv Präsens mit Modalverben		
Es	muss vorher fleißig	geübt werden.
Auftrittsmöglichkeiten	müssen	gesucht werden.

auch so mit: können, dürfen, wollen, sollen

■ Auftrittsmöglichkeiten müssen gesucht werden.
● Ja, das habe ich auch gehört. Außerdem …

AB **8** **Rätsel erstellen: Es darf nicht geraucht werden.**
Arbeiten Sie zu zweit auf Seite 92.

• Technik

• Tournee-Bus

• Konzertsaal

• Plakat

• Notausgang

• Lautsprecher

• Garderobe

▶ 3 10 **9**

Was passt? Hören Sie das Interview weiter und ordnen Sie zu.

Ⓐ 
Ruhrgebiet

Ⓑ 
Weingut bei Basel

Ⓒ 
Augsburg

		Foto
1	Dort war der Konzertveranstalter am sympathischsten.	C
2	Das Publikum war herzlich.	______
3	Die „Fuggerei“ war eines der tollsten Erlebnisse.	______
4	Die Schnitzel und der Veggie-Burger haben uns auch geschmeckt.	______
5	Dort war die Stimmung am heitersten.	______
6	Dort gibt es ein großes kulturelles Angebot.	______
7	Wir hatten das Vergnügen einer persönlichen Stadtführung.	______
8	Schuld an der Fröhlichkeit waren der Wein und das gute Wetter.	______

AB **10**

Die interessantesten Ecken gab es in …

a **Machen Sie Notizen zu den Fragen und schreiben Sie passende Redemittel auf Kärtchen.**

1 Welche Orte/Städte haben Sie zuletzt besucht? *Barcelona*
2 Welcher Ort / Welche Stadt hat Ihnen am besten gefallen?
3 Warum? Was war besonders?

KOMMUNIKATION

Also, am meisten überrascht/begeistert hat mich persönlich …
Dort gab es ein großes kulturelles Angebot.
Wir haben uns keine Sekunde gelangweilt.
Dort herrschte auch die fröhlichste Stimmung / netteste Atmosphäre / …
Die Menschen / … haben uns … behandelt. Die Gastfreundschaft war …
Augsburg/… hatte den nettesten …
Dort gibt es fantastische Gaststätten/Gebäude aus dem vorigen Jahrhundert / …
Im Vergleich zu … hat … einfach die besten …
Die interessantesten Ecken gab es in …
Eines der tollsten Erlebnisse war …
Wir hatten das Vergnügen einer/eines …
Schuld daran war …

b **Verwenden Sie Ihre Notizen und Ihre Kärtchen und erzählen Sie in Kleingruppen.**

1 Ich fand Barcelona am schönsten …

Von den Städten, die ich zuletzt besucht habe, fand ich … am schönsten. Dort …

c **Welchen der vorgestellten Orte würden Sie gern besuchen? Warum? Erzählen Sie.**

MINI-PROJEKT

AB **11 Bregenz ist immer einen Besuch wert.**

a Wählen Sie einen Ort, für den Sie werben wollen. Was gibt es dort? Was kann man dort unternehmen? Machen Sie Notizen.

Bregenz: Vorarlberg, am Bodensee
Das gibt es dort: Bregenzer Festspiele …

Diktat

b Schreiben Sie einen Werbetext für eine Tourismusbroschüre.

Bregenz ist immer einen Besuch wert

Bregenz ist die Landeshauptstadt im österreichischen Bundesland Vorarlberg. Auf der einen Seite liegt der Bodensee, auf der anderen die Berge: In Bregenz können Sie sowohl baden und Bootstouren machen als auch wandern und Rad fahren. Sie lieben klassische Musik? Dann dürfen Sie die Bregenzer Festspiele im Juli und August auf keinen Fall versäumen. Das international bekannte Kulturfestival hat die größte Seebühne der Welt. Wenn Sie neugierig geworden sind, können Sie sich auf der Homepage von Bregenz informieren.

KOMMUNIKATION

… ist immer einen Besuch wert. | … ist einer der schönsten Orte in … | … hat die nettesten … | Hier finden Sie nicht nur …, sondern auch … / sowohl … als auch … | Besonders empfehlenswert ist … | … dürfen Sie auf keinen Fall verpassen/versäumen. | Wenn Sie neugierig geworden sind, dann …

c Machen Sie eine Wandzeitung und stellen Sie Ihren Ort vor.

Audiotraining | Karaoke

GRAMMATIK

lokale Präpositionen	
um … herum + Akkusativ	Wir fahren dreimal um das Zentrum herum.
an/am … entlang + Dativ	Es geht am Rhein entlang nach Basel.
innerhalb, außerhalb + Genitiv	Der Veranstaltungsort liegt außerhalb der Stadt.

temporale Präpositionen	
innerhalb, außerhalb + Genitiv	Innerhalb weniger Tage reisen wir durch Deutschland und die Schweiz.

Passiv Präsens mit Modalverben

		Modalverb	**Partizip Perfekt + werden**
Singular	Es	muss vorher fleißig	geübt werden.
Plural	Auftrittsmöglichkeiten	müssen	gesucht werden.
auch *so mit*: können, dürfen, wollen, sollen			

KOMMUNIKATION

etwas anpreisen

Also, am meisten überrascht/begeistert hat mich persönlich … | Dort gab es ein großes kulturelles Angebot. | Wir haben uns keine Sekunde gelangweilt. | Dort herrschte auch die fröhlichste Stimmung / netteste Atmosphäre / … | Die Menschen / … haben uns … behandelt. Die Gastfreundschaft war … | Augsburg/… hatte den nettesten … | Dort gibt es fantastische Gaststätten / Gebäude aus dem vorigen Jahrhundert / … | Im Vergleich zu … hat … einfach die besten … | Die interessantesten Ecken gab es in … | Eines der tollsten Erlebnisse war … | Wir hatten das Vergnügen einer/eines … | Schuld daran war … | … ist immer einen Besuch wert. | … ist einer der schönsten Orte in … | … hat die nettesten … | Hier finden Sie nicht nur …, sondern auch … / sowohl … als auch … | Besonders empfehlenswert ist … | … dürfen Sie auf keinen Fall verpassen/versäumen. | Wenn Sie neugierig geworden sind, dann …

Bei jedem Wetter unterwegs –

diese Postzusteller arbeiten unter extremen Bedingungen

FIEDE NISSEN ...

ist seit 1977 selbstständiger Postschiffer. Er holt und bringt die Post zu vier Halligen, kleinen Inseln vor der deutschen Nordseeküste. Sie gehören zu Schleswig-Holstein.

ANDREAS OBERAUER ...

ist seit 1995 Postbote auf der Zugspitze. Die Zugspitze ist mit 2962 Metern der höchste Berg in Deutschland und befindet sich in Bayern.

ANDREA BUNAR ...

bringt seit April 2012 der Gemeinde Lübbenau-Lehde im Spreewald die Post per Kahn. Der Spreewald liegt in Brandenburg und hat viele Flüsse und Kanäle.

1 ______________________________

Je nach Wetter belade ich am Festland mein Schiff „Störtebekker“ oder die Motorlore mit der Post für ca. 160 Menschen auf den vier Halligen Langeness, Oland, Gröde und Habel. Die Motorlore ist ein Wagen, mit dem ich auf Eisenbahnschienen auf einem Damm zehn Kilometer quer durch die Nordsee fahre.

Ich fahre fast täglich mit der Seilbahn auf die Zugspitze: insgesamt 4,5 Kilometer hin und zurück. Dabei muss ich 1950 Meter Höhenunterschied überwinden. Oben leere ich den am höchsten gelegenen Briefkasten Deutschlands und öffne für eine Stunde das kleine Postamt.

Von April bis Oktober stelle ich die Post für 65 Haushalte zu. Die Häuser sind vom Wasser aus am schnellsten zu erreichen. Ich nutze hierfür einen neun Meter langen Kahn, den ich mit einer Art Holzruder, Rudel genannt, in Bewegung setze. Täglich lege ich acht Kilometer in zwei bis drei Stunden zurück.

2 ______________________________

Ich bin gern auf dem Wasser und in der Natur. Eine große Herausforderung sind natürlich die schnell wechselnden Wetterlagen: Sturm, Nebel, Eis oder Niedrigwasser. Im Extremfall muss ich dann auch mal eine Fahrt ausfallen lassen.

Für meinen Job muss ich sehr fit sein, denn der Körper wird bei dem Höhenunterschied extrem beansprucht. Vor allem bei schönem Wetter macht mir die Arbeit aber viel Spaß: Dieser Blick über die Alpen ist einmalig! Dann vergesse ich auch die schwierigen Tage mit Schneestürmen oder Gewittern.

Ich habe einen Traumberuf. Die Arbeit ist großartig. Jeder Tag ist anders. Manchmal ist meine Tour auch anstrengend, bei starkem Wind zum Beispiel. Wahrscheinlich bin ich die bekannteste Postfrau in Deutschland. Denn jeden Tag fotografieren mich sehr viele Touristen.

1 Bei jedem Wetter unterwegs

a Wo arbeiten die Postzusteller? Lesen Sie jeweils die ersten Abschnitte, recherchieren Sie und ergänzen Sie die Orte auf der Karte im Umschlag.

b Welche Fragen passen? Lesen Sie weiter und ergänzen Sie passende Fragen. Die Auflösung finden Sie auf Seite 91.

2 Und Sie? Welche der Arbeitsumgebungen gefällt Ihnen am besten? Erzählen Sie.

▶ Clip 7

1 Die „Stadtdetektive"

a Was meinen Sie? Wer sind die Personen und was passiert hier? Sehen Sie den Anfang des Films ohne Ton (bis 1:20) und sprechen Sie.

Ich denke, dass die Frau einen Ausflug mit den Kindern macht.

b Sehen Sie den Anfang des Films nun noch einmal mit Ton (bis 1:20). Vergleichen Sie und kreuzen Sie an.

1 Die Kinder machen ◯ einen Schulausflug. ◯ eine Stadtführung.
2 Die „Ruppige Ritter"-Tour in München führt durch ◯ die Innenstadt. ◯ den Englischen Garten.

2 Porträt: Astrid Herrnleben

a Astrid Herrnleben erzählt von ihrer Idee, den „Stadtdetektiven". Was meinen Sie? Zu welchen Themen sagt sie etwas?

◯ Studium | ◯ Weiterbildung | ◯ Wohnort | ◯ Familie | ◯ Arbeitsbedingungen | ◯ Zukunftspläne | ◯ früherer Beruf | ◯ Interessen | ◯ München

▶ Clip 7 **b** Sehen Sie den Film bis zum Ende (ab 1:21) und vergleichen Sie.

▶ Clip 7 **c** Sehen Sie den Film noch einmal (ab 1:21) und beantworten Sie die Fragen.

1 Wann hatte Astrid Herrnleben die Idee zu den „Stadtdetektiven"? *Vor sechs Jahren.*
2 Was hat sie vorher beruflich gemacht?
3 Warum wollte sie gern etwas Neues machen?
4 Wofür hat sie sich schon immer interessiert?
5 Was hat sie studiert?
6 Was für eine Weiterbildung hat sie gemacht?
7 Seit wann lebt Astrid Herrnleben in München?
8 Was gefällt ihr an München?

3 Stadtführungen

a Welche Stadtführung der „Stadtdetektive" interessiert Sie? Recherchieren Sie (www.stadtdetektive.com) und erzählen Sie im Kurs.

b Welche Erfahrungen haben Sie mit Stadtführungen? Erzählen Sie.

Ich habe schon einmal eine Nacht-Stadtführung gemacht. …

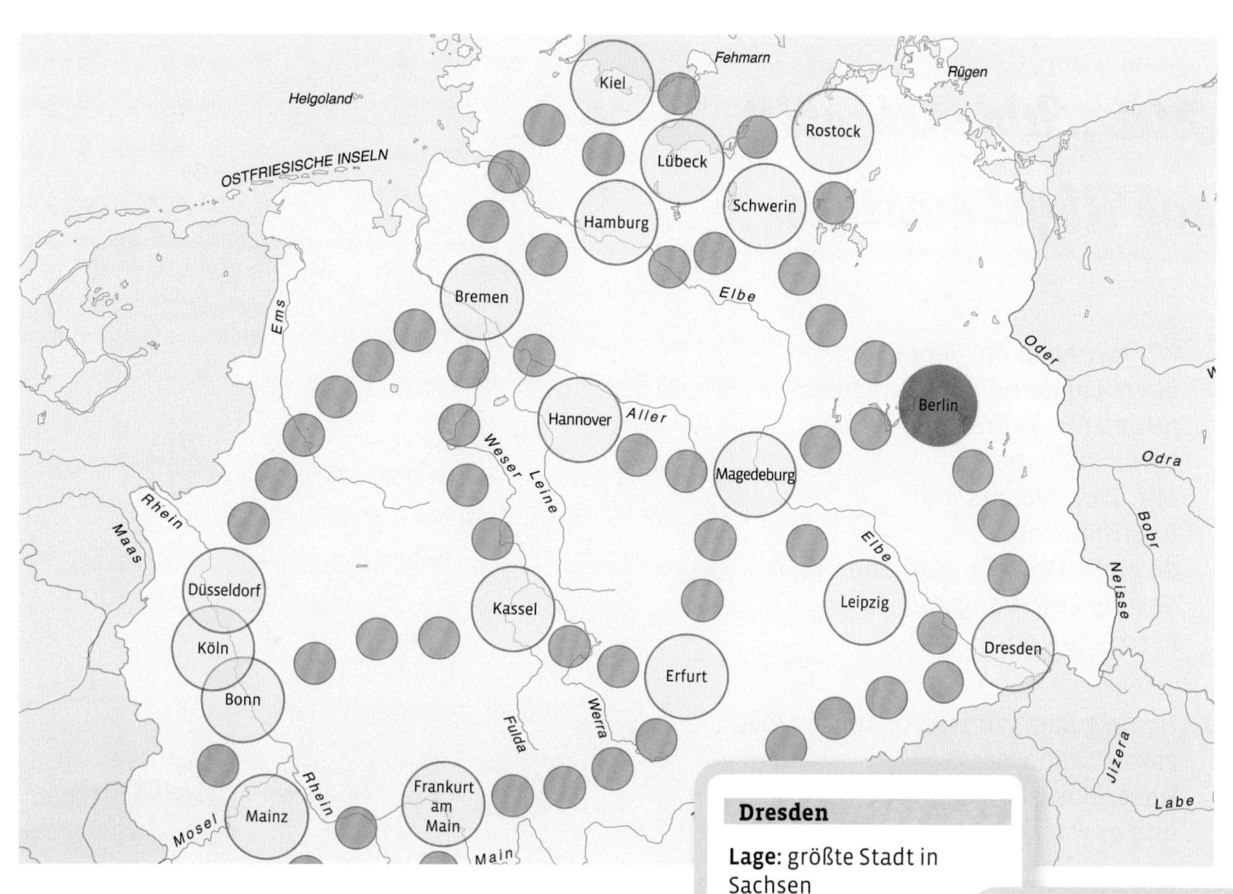

Dresden

Lage: größte Stadt in Sachsen

Einwohner: ca. 500.000

Sehenswürdigkeiten: historische Altstadt mit Frauenkirche und Semperoper

Sie stärken sich mit Dresdner Stollen und rücken 2 Felder vor.

Mainz

Lage: größte Stadt in Rheinland-Pfalz

Einwohner: ca. 200.000

Sehenswürdigkeiten: Mainzer Dom, Kirche St. Stephan mit Chagall-Fenstern

Wegen der Mainzer Fastnacht bleiben Sie noch einen Tag in Mainz und setzen eine Runde aus.

1 Deutschlandspiel

Lesen Sie die Spielanleitung und ordnen Sie zu.

Spielidee | Spielverlauf | Spielvorbereitung

____

In diesem Spiel machen Sie eine Reise durch Deutschland. Sechs Ortskarten bestimmen für jede Spielerin / jeden Spieler eine andere Reiseroute. Gewonnen hat die Person, die zuerst alle Orte besucht hat und wieder am Zielort angekommen ist. Im Spiel lernen Sie außerdem deutsche Städte und bekannte Sehenswürdigkeiten in Deutschland kennen.

____

Jede Spielerin / Jeder Spieler erhält eine Spielfigur. Start- und Zielort ist Berlin. Mischen Sie die Ortskarten. Jede/Jeder erhält sechs Ortskarten.

____

Die Spielerinnen und Spieler würfeln der Reihe nach und ziehen mit ihrer Spielfigur. Erreicht jemand einen der gezogenen Orte, liest sie/er die Karte vor und führt die Anweisung aus.

2 Deutschlandspiel erstellen und spielen

a **Partnerarbeit: Wählen Sie sechs deutsche Städte und recherchieren Sie. Schreiben Sie eigene Karten wie in 1.**

b **Spielen Sie in Gruppen nach der Spielanleitung in 1.**

Mit „Wonnebeats“ auf Rhythmustour

Refrain

Wir fahren in die Berge,
übers Land und auch ans Meer,
fahren hin, fahren her, reisen
kreuz und quer.
Mit „Wonnebeats“ auf
Rhythmustour,
da gibt’s Musik in Moll und Dur,
Gesang und Klang und
Percussion pur.

1 Heute gehen wir wieder auf Tournee,
erste Station: der Bodensee.
Unser Bus ist vollgepackt
und er wackelt schon im Takt.

2 Aus __________________ finden wir kaum raus,
in __________________ schlafen wir uns aus.
Und in __________________, in der wunderschönen Schweiz, hat jede Ecke ihren Reiz.

3 Im Grünen Baum in __________________, da spielen wir,
danach ist Party bis um vier.
In __________________ gibt’s ganz besonders viel Applaus,
am nächsten Morgen geht’s zurück nach Haus’.

▶3 11 **1 Wo waren die „Wonnebeats“ auf ihrer Tournee?**
Hören Sie das Lied und zeichnen Sie die Route auf der Karte ein. Ergänzen Sie dann die Orte im Text.

▶3 11 **2 Rhythmus-Session**
Teilen Sie den Kurs in drei Gruppen. Jede Gruppe wählt ein „Instrument“ und begleitet einmal den Refrain. Beim Zwischenspiel spielen alle Gruppen gemeinsam.

In der BRD wurde die Demokratie eingeführt. 22

Hören: Audioguide: geschichtliche Ereignisse

Sprechen: Wunschvorstellungen ausdrücken: *Das hätte ich gern erlebt.*

Schreiben: Ereignisse zusammenfassen

Wortfeld: Geschichte

Grammatik: Passiv Perfekt: *ist eingeführt worden*; Passiv Präteritum: *wurde eingeführt*

1 Doch wie kam es dazu?

a **Sehen Sie das Foto an. Wo ist der junge Mann und was macht er? Was meinen Sie?**

an einer Bushaltestelle | vor einem Denkmal | …

Ich denke, der Mann steht eventuell …

▶ 3 12 **b** **Hören Sie und korrigieren Sie.**

1 Der junge Mann macht eine ~~Kunstführung~~. Geschichtsführung
2 Er hört Szenen von der Maueröffnung in Berlin am 9. November 1990.
3 Durch die Berliner Mauer war das Tor zwischen BRD und DDR 28 Monate lang verschlossen.

c **Interessieren Sie sich für Geschichte? Erzählen Sie.**

Na ja, ich muss mich immer dazu zwingen, mal in ein Museum zu gehen.

1 ● Mauerbau

2 ● Euro

3 ● Soldat

4 ● (Welt-)Krieg

5 ● Denkmal

6 friedliche ● Revolution

Spiel & Spaß

2 Deutsche Geschichte im Kurzüberblick von 1945 bis 2002

Zu welchen Ereignissen finden Sie Bilder im Bildlexikon? Ordnen Sie zu.

1945: Kriegsende und Teilung Deutschlands in Besatzungszonen ○

1948: Berliner Luftbrücke: Die westlichen Alliierten helfen den eingeschlossenen Westberlinern mit Lebensmitteln aus der Luft. ○

1949: Teilung Deutschlands in die BRD im Westen und die DDR im Osten ⊖

1961: Es wird eine Mauer rund um Westberlin gebaut. ○

1961–1989: Alltagskultur in der DDR: Trabant und Datsche ○

1989: Grenzöffnung zwischen Ungarn und Österreich, die Konsequenz: Flucht Tausender DDR-Bürger in den Westen ○

1989: Montagsdemonstrationen in der DDR: Regime-Gegner protestieren friedlich gegen den Staat. ○

1990: 3. Oktober: „Tag der Deutschen Einheit“: Vereinigung von BRD und DDR ⑪

1993: Gründung der EU ○

2002: Einführung des Euro ○

AB

3 Drücken Sie die 102.

▶ 3 13-16

a Welche Ereignisse aus 2 passen zu den Audioguide-Sequenzen? Hören Sie und notieren Sie die Jahreszahlen.

1 ________ 2 ________ 3 ________ 4 ________

▶ 3 13

b Was ist richtig? Hören Sie die erste Sequenz noch einmal und kreuzen Sie an.

1 Nach dem Kriegsende wurde Deutschland in ○ eine westliche und eine sowjetische Besatzungszone ○ vier Besatzungszonen geteilt.

2 Die unterschiedlichen Vorstellungen von den Westmächten und der Sowjetunion waren die Ursache für ○ die Teilung ○ die Besatzung Deutschlands.

▶ 3 14

c Hören Sie die zweite Sequenz noch einmal und sortieren Sie.

interessant?

○ Mit der Luftbrücke halfen die Westmächte der Westberliner Bevölkerung.
① Der Westteil Berlins ist von den sowjetischen Truppen besetzt worden.
○ Rund um Westberlin entstand eine drei Meter hohe Mauer.
○ Aus wirtschaftlichen Gründen verließen immer mehr Menschen die DDR.
○ In der BRD wurde die Demokratie und in der DDR eine sozialistische Ein-Parteien-Diktatur eingeführt.
○ Die sowjetischen Truppen verließen Westberlin wieder.

▶ 3 15

d Welche Themen aus dem Alltag in der DDR werden genannt? Hören Sie die dritte Sequenz noch einmal und kreuzen Sie an.

noch einmal?

☒ Kinderbetreuung | ○ Schulsystem | ○ Lebensmittelknappheit | ○ Arbeitsplatzgarantie | ○ Arbeitsgenehmigungen | ○ Autos | ○ Wohnungsnot | ○ Wochenendhäuser mit Garten | ○ freie Meinungsäußerung | ○ Verhaftungen aus politischen Gründen | ○ kulturelle Angebote

● Gefängnis

● Europäische Union

● Luftbrücke

● Frieden

● Nationalfeiertag

▶ 3 16 **e Was ist richtig? Hören Sie die vierte Sequenz noch einmal und korrigieren Sie.**

1 1989 versuchte nur eine kleine Anzahl von DDR-Bürgern über Ungarn, Polen und die ehemalige Tschechoslowakei in den Westen zu fliehen.
2 Auch in der DDR gab es 1989 viele gewaltvolle Proteste und Demonstrationen.
3 Am 3. Oktober 1989 fiel die Berliner Mauer.

AB Spiel & Spaß

4 Wann ist die DDR gegründet worden?

a *ist ... worden* oder *wurde*? Lesen Sie die Sätze in 3c noch einmal und ergänzen Sie.

GRAMMATIK

	Passiv
Perfekt	Der Westteil Berlins _____ von den sowjetischen Truppen ____________ (besetzen).
Präteritum	In der BRD _________ die Demokratie ______________ (einführen).

b Deutsche Geschichte: Arbeiten Sie auf Seite 93. Ihre Partnerin / Ihr Partner arbeitet auf Seite 96.

5 Geschichtliche Ereignisse in Österreich und der Schweiz

Wählen Sie ein Land und schreiben Sie einen Text zu dem Steckbrief im Passiv Präteritum.

Österreich
1918: Republik Österreich gegründet | 1938: Einmarsch der Deutschen: Verlust der Selbstständigkeit, Teil des Deutschen Reichs | 1945–1955: aufgeteilt in vier Besatzungszonen | 1955: Staatsvertrag mit Alliierten unterschrieben → Selbstständigkeit gewonnen | 1995: Mitglied der EU

Im Jahr 1918 wurde die Republik Österreich gegründet. Als 1938 die Deutschen in Österreich einmarschierten, wurde ...

Schweiz
1848: Bundesstaat gegründet | 1914–1918: im Ersten Weltkrieg neutral geblieben | 1939–1945: im Zweiten Weltkrieg neutral geblieben | 1971: Einführung des Frauenwahlrechts | 2001: Volksabstimmung gegen den Beitritt zur EU

AB Diktat

6 Bei welchem historischen Ereignis wären Sie gern dabei gewesen?

Machen Sie Notizen und erzählen Sie.

Ich wäre gern beim Bau des Eiffelturms dabei gewesen. Angeblich haben vor dem Bau viele Künstler sogar gefordert, dass das Vorhaben gestoppt wird. Der Turm erschien ihnen zu hoch und zu gefährlich. Hinterher aber lobten alle Gustave Eiffel. Das war bestimmt eine beeindruckende Zeit!

KOMMUNIKATION

Ich wäre gern bei ... dabei gewesen. | Das hätte ich gern gesehen/erlebt/... | Das war bestimmt eine tolle/beeindruckende/interessante/... Zeit/... | Das muss sehr beeindruckend/interessant gewesen sein. | Mich hat ... schon immer beeindruckt/interessiert/... | Ich konnte mir noch nie / schon immer gut vorstellen, ...

7 Quiz

a **Arbeiten Sie zu dritt. Welche Gruppe kann die meisten Quizfragen richtig beantworten? Vergleichen Sie im Kurs. Die Auflösung finden Sie auf Seite 93.**

1. In welcher österreichischen Stadt fanden 1964 und 1976 die Olympischen Winterspiele statt? ____________
2. In welcher deutschen Stadt war die Expo 2000? ____________
3. Welcher österreichische Musiker schaffte mit dem Hit „Rock me Amadeus" den internationalen Durchbruch? ____________
4. Welches Kinderbuch machte die Autorin Johanna Spyri aus der Schweiz weltbekannt? ____________
5. Welcher bekannte Komponist der Wiener Klassik wurde 1756 in Salzburg geboren? ____________
6. In welcher Schweizer Stadt findet jeden Sommer das Musikfestival „Moon and Stars" statt? ____________
7. Wie heißt der deutsche Schauspieler, der durch Kinofilme wie „Das Experiment", „Lola rennt", „Knockin' on Heaven's Door" und „Der Baader Meinhof Komplex" bekannt wurde? ____________

b **Schreiben Sie drei eigene Quizfragen. Lesen Sie Ihre Fragen im Kurs. Die Gruppe, die die Frage zuerst richtig beantwortet, bekommt einen Punkt. Gewonnen hat die Gruppe mit den meisten Punkten.**

Karaoke | Audiotraining

GRAMMATIK

Passiv Perfekt			
Der Westteil Berlins	ist	von den sowjetischen Truppen	besetzt worden.
In der BRD	ist	die Demokratie	eingeführt worden.

Passiv Präteritum			
Der Westteil Berlins	wurde	von den sowjetischen Truppen	besetzt.
In der BRD	wurde	die Demokratie	eingeführt.

KOMMUNIKATION

Wunschvorstellungen ausdrücken
Ich wäre gern bei … dabei gewesen. Das hätte ich gern gesehen/erlebt/… Das war bestimmt eine tolle/beeindruckende/interessante/… Zeit/… Das muss sehr beeindruckend/interessant gewesen sein. Mich hat … schon immer beeindruckt/interessiert/… Ich konnte mir noch nie / schon immer gut vorstellen, …

Fahrradfahren ist in. 23

Sprechen/Schreiben: Zustimmung ausdrücken: *Ich kann dir da nur zustimmen.*; rückfragen und Gleichgültigkeit ausdrücken: *Es ist mir ganz egal.*

Lesen: Interview

Wortfelder: Umwelt und Klima

Grammatik: Konjunktionen *(an)statt/ohne … zu*, *(an)statt/ohne dass*

1 Welches Fahrrad würde am besten zu Ihnen passen? Warum?

Sehen Sie die Fotos an und erzählen Sie.

2 Das ist mein Rad.

a Wem gehört welches Fahrrad? Was meinen Sie?

①  ○ Heike

②  ○ Christoph

③  ○ Yvette

④  ○ Bruno

▶ 3 17–20 **b** Hören Sie und ordnen Sie die Fahrräder den Personen zu.

AB **3** **Die fahrradfreundlichste Stadt**

Beruf

a **Was passt? Überfliegen Sie das Interview und ergänzen Sie die Fragen.**

Sagen Sie uns doch bitte zum Abschluss noch, wie Sie die Chancen sehen, dass in ganz Deutschland mehr und mehr Menschen aufs Fahrrad umsteigen. | Was ist neben der Infrastruktur noch nötig, um die Bürger zum Umsteigen zu bewegen? | Was machen diese Städte richtig?

DIE ZEITEN, IN DENEN SICH ALLES NUR UMS AUTO DREHTE, SIND VORBEI.

Immer mehr Städte in Deutschland, Österreich und der Schweiz erkennen, dass es sich lohnt, den Radverkehr zu fördern. Tobias Brunnthaler, Experte für Mobilität und Umwelt, hat in den letzten Jahren entscheidend dazu beigetragen, dass das so ist.

Tobias Brunnthaler

Herr Brunnthaler, gerade sind wieder die Ergebnisse für die fahrradfreundlichste Stadt in Deutschland
5 veröffentlicht worden. Ganz oben mit dabei sind Städte wie Münster, Freiburg und Karlsruhe.
____

Diese Städte machen sehr viel richtig. Sie schaffen es zum Beispiel, dass ihre Bürger immer mehr aufs Fahrrad steigen, statt das Auto zu benutzen. Die wichtigste Voraussetzung dafür ist natürlich der Ausbau der Radwege: Es werden breitere und neue Radstrecken eingerichtet, Straßen in reine Fahrrad-
10 straßen umgewandelt, in denen Radfahrer Vorfahrt haben, Über- oder Unterführungen für Radfahrer gebaut, damit gefährliche Kreuzungen umgangen werden können.
Außerdem werden die Parkmöglichkeiten für Fahrräder in diesen Städten verbessert. Es gibt Service-Stationen, an denen man Reparaturen
15 an Bremsen oder Klingeln durchführen lassen kann, den Reifendruck prüfen oder Ersatzteile kaufen kann, Scherben-Dienste und vieles mehr.

> **„Scherben-Dienst" für Freiburger Radwege**
> Scherben auf Radwegen sind ein Risiko. In Freiburg gibt es jetzt eine Telefon-Hotline: Ein Team der Straßenreinigung wird informiert und kann die auf dem Weg liegenden Glasscherben rasch entfernen.

____

Wichtig ist, dass die Bürger erkennen können, dass eine fußgänger- und fahrradfreundliche Stadt eine
20 lebenswerte Stadt ist. Dass sie spüren: Hier lebe ich in einem attraktiven Umfeld, ohne auf Komfort zu verzichten. Fest steht doch: Beim Radfahren kann man das Schöne mit dem Nützlichen verbinden. Anstatt im Stau zu stehen oder einen Parkplatz zu suchen, steigere ich Fitness und Kondition und kann mich gleichzeitig entspannen. Und nebenbei spare ich Geld und schütze aktiv die Umwelt. Bessere Argumente für das Fahrradfahren gibt es nicht!
25 ____
____

Ich sehe die Entwicklungen sehr positiv. Die Zeiten, in denen sich alles nur ums Auto drehte, sind vorbei. Zum einen hat die Politik erkannt, dass das Fahrrad eine sehr wichtige Rolle bei der Mobilität der Zukunft einnimmt. Außerdem nehmen auch die Bürger selbst die Sache in die Hand und demonstrieren
30 für Verbesserungen im Radverkehr. Schließlich kann kaum jemand leugnen, dass das Fahrrad besonders in Stadtgebieten meist die klügste Wahl ist. Und das erkennen hier offenbar auch junge Menschen immer mehr: Fahrradfahren ist in.

• Strom • Wasser • Heizen • Transport / • Verkehr • Müll

▶ 3 21 **b Lesen und hören Sie den Text. Was ist richtig? Kreuzen Sie an und korrigieren Sie die falschen Sätze.**

1 In den fahrradfreundlichsten Städten wurden nicht nur die Radwege, sondern auch der Service für Radfahrer verbessert. ○
2 Bürger, die feststellen, dass fußgänger- und fahrradfreundliche Städte lebenswert sind, steigen eher auf das Fahrrad um. ○
3 Radfahren ist für die Fitness und den Geldbeutel gut. ○
4 Die Politik glaubt immer noch nur an das Auto. ○
5 Auf dem Land ziehen immer mehr junge Menschen das Fahrrad dem Auto vor. ○

Spiel & Spaß

c Ergänzen Sie *(an)statt/ohne ... zu* oder *(an)statt/ohne dass*. Hilfe finden Sie im Text in a.

Hauptsatz	Nebensatz
Ich lebe in einem attraktiven Umfeld,	ohne dass ich auf Komfort verzichte.
Ich lebe in einem attraktiven Umfeld,	________ auf Komfort zu verzichten.
Ich steigere Fitness und Kondition,	________ ich im Stau stehe.
Ich steigere Fitness und Kondition,	________ im Stau ____ stehen.

GRAMMATIK

! Gibt es verschiedene Subjekte, verwendet man immer *(an)statt/ohne dass*: Die Bürger demonstrieren für bessere Radwege, ohne dass die Politik etwas ändert. Nur wenn das Subjekt in Haupt- und Nebensatz gleich ist, kann man auch *(an)statt/ohne ... zu* verwenden.

4 Energie sparen: Arbeiten Sie zu zweit auf Seite 94.

AB

5 Was tun Sie für die Umwelt?

Spiel & Spaß

a Sprechen Sie mit Ihrer Partnerin / Ihrem Partner über die Themen im Bildlexikon.

■ Ich dusche, statt zu baden. Es ist mir wichtig, nicht so viel Wasser zu verbrauchen.
▲ Das mache ich nicht. Ich entspanne mich so gern in der Badewanne. Aber ich ...
■ Ich bemühe mich, nur saisonale Produkte bei regionalen Anbietern zu kaufen. ...

Diktat

b Arbeiten Sie in Gruppen. Erzählen Sie von den Gewohnheiten, die Ihnen besonders wichtig sind. Diskutieren Sie.

■ Besonders wichtig ist mir das Thema Mobilität. Meiner Meinung nach sollte man weniger fliegen.
▲ Da kann ich dir nur zustimmen. Ich ...

KOMMUNIKATION

Zustimmung/Ablehnung ausdrücken
Doch, du hast recht. | (Ganz) Genau.
Ich bin voll und ganz deiner Meinung.
Ich kann dir da nur/nicht zustimmen.
Davon halte ich nicht viel.
Ich bin völlig anderer Meinung. Mein Standpunkt ist, dass ...

KOMMUNIKATION

rückfragen und Gleichgültigkeit ausdrücken
Macht dir das nichts aus?
Ärgerst du dich denn nicht darüber?

Nein, das ist mir ganz egal/gleich.
Das spielt keine Rolle.
Das interessiert mich nicht.
Meinetwegen kann jeder das so machen, wie er möchte.

AB **6 Ich habe keine Lust auf ...**

a Sie haben im Fernsehen eine Diskussionssendung zum Thema „Umweltbewusstes Verhalten" gesehen. Im Online-Forum der Sendung finden Sie folgende Meinung. Ordnen Sie zu. Nicht alle Wörter passen.

Entwicklung | Industrie | konsumieren | verschlechtern | verzichten | Vorschriften

Forumsbeitrag von ninotsch01

Ich habe keine Lust mehr auf ____________ zu umweltbewusstem Verhalten. Wir sollen Wasser sparen, ökologische Lebensmittel ____________, fliegen sollen wir sowieso nicht usw. Aber was ist mit der ____________? Industriebetriebe sind meiner Meinung nach die größten Umweltverschmutzer. Dagegen brauchen wir strengere Gesetze. Bis es so weit ist, werde ich weder auf Inlandsflüge noch auf mein Auto ____________. Denn eine gesunde Umwelt hängt nicht davon ab, wie ich mich als Einzelperson verhalte.

b Schreiben Sie nun Ihre Meinung ins Forum.

Audiotraining | Karaoke

GRAMMATIK

Konjunktionen (an)statt/ohne ... zu, (an)statt/ohne dass

Hauptsatz	Nebensatz
Ich lebe in einem attraktiven Umfeld,	ohne dass ich auf Komfort verzichte.
Ich lebe in einem attraktiven Umfeld,	ohne auf Komfort zu verzichten.
Ich steigere Fitness und Kondition,	statt dass ich im Stau stehe.
Ich steigere Fitness und Kondition,	statt im Stau zu stehen.

! Gibt es verschiedene Subjekte, verwendet man immer *(an)statt/ohne dass*: Die Bürger demonstrieren für bessere Radwege, ohne dass die Politik etwas ändert. Nur wenn das Subjekt in Haupt- und Nebensatz gleich ist, kann man auch *(an)statt/ohne ... zu* verwenden.

KOMMUNIKATION

Zustimmung/Ablehnung ausdrücken

Doch, du hast recht.
(Ganz) Genau.
Ich bin voll und ganz deiner Meinung.
Ich kann dir da nur/nicht zustimmen.
Davon halte ich nicht viel.
Ich bin völlig anderer Meinung. Mein Standpunkt ist, dass ...

rückfragen und Gleichgültigkeit ausdrücken

Macht dir das nichts aus?
Ärgerst du dich denn nicht darüber?

Nein, das ist mir ganz egal/gleich.
Das spielt keine Rolle.
Das interessiert mich nicht.
Meinetwegen kann jeder das so machen, wie er möchte.

Das löst mehrere Probleme auf einmal. 24

Hören/Sprechen: Überzeugung ausdrücken: *Dazu gibt es keine Alternative.*

Lesen: Magazintext

Wortfeld: Zukunftsvisionen

Grammatik: Konjunktionen *damit, um … zu, als ob*

▶ 3 22 **1 Was meinen Sie?**
Sehen Sie das Foto an, hören Sie und beantworten Sie die Fragen.

Was machen die Personen?
Wer sind sie?
Wo sind sie?

Die Personen pflanzen einen Baum. Vermutlich …

2 Arbeiten Sie gern im Team? Erzählen Sie.

Ich arbeite lieber allein. In großen Gruppen muss oft so viel diskutiert werden und …

Elektroauto

Carsharing

Fahrrad

Smog

Klimaerwärmung

Wetterextreme

3 Wie will ich leben?

a Lesen Sie die Überschrift und sehen Sie sich die Fotos an. Was meinen Sie? Worum geht es in dem Text?

Ich vermute, dass es in dem Artikel um ein Altenheim geht.

Das Menschendorf: **Zusammen ist man weniger allein!**

In unserer Serie „Vielfalt des Wohnens" stellen wir Ihnen heute das „Menschendorf" vor, ein Gemeinschafts-Wohnprojekt in Österreich mit insgesamt 120 Bewohnern. Lisa Holluschek beschreibt uns „ihr" Dorf.

Kikerikiiii! Der Hahn reißt mich aus meinem Traum. 6:10 Uhr: Zeit aufzustehen. Dann die Kinder wecken, Frühstück machen, die Kinder zur Schule schicken – und schließlich noch 20 Minuten Ruhe! Ich sitze auf meiner Terrasse und trinke meinen Kaffee. Ich schaue mich um und bin glücklich!

Aber es war nicht immer leicht in den letzten Jahren. Seit wir vor sieben Jahren mit 40 Leuten angefangen haben, eine Vision von „unserem" Dorf zu entwickeln, mussten wir oft große Hindernisse überwinden. Um zu einem Ergebnis zu kommen, das alle zufrieden stellte, musste jeder von uns Kompromisse schließen. Aber jetzt der Reihe nach:

Wir hatten uns zusammengeschlossen, um gemeinsam ein Dorf zu bauen: Familien, Singles, alleinerziehende Mütter, Paare, Alt und Jung. Wir alle waren auf der Suche nach einem neuen Konzept von Wohnen und Leben. Um das zu verwirklichen, waren wir bereit, unser Leben miteinander zu teilen. Ein Ort war schon gefunden: ein alter Gutshof mit einem kleinen Wald. Diesen Hof wollten wir renovieren.

Wir trafen uns zwei Jahre lang regelmäßig, um uns kennenzulernen und unsere Visionen zu entwickeln. Die Kinder wünschten sich einen Swimmingpool, die Erwachsenen einen Brunnen und Sitzplätze im Grünen. Anfangs waren der Fantasie keine Grenzen gesetzt.
Nach und nach mussten wir Entscheidungen treffen und die Einzelheiten festlegen. Das war die schwierigste Zeit. Und ich habe oft gedacht: „Jetzt steige ich aus! Allmählich wird mir das zu schwierig!"

Aber wir haben es dann geschafft. Heute sind wir eine Gemeinschaft, in der wir uns gegenseitig unterstützen, füreinander Verantwortung übernehmen und uns auch in Ruhe lassen können. Nebenan wohnt „Oma Anne", die in der Not auch mal für mein krankes Kind da sein kann, wenn ich zu einem Termin in die Stadt fahren muss. Dafür mache ich für sie die schweren Einkäufe.

Samstags haben wir immer wieder sogenannte Arbeitstage: Wir bauen zum Beispiel gemeinsam einen neuen Fahrradschuppen, rechen Blätter oder ernten die reifen Pflaumen. Abends zünden wir dann zusammen ein Feuer an und grillen.

Natürlich gibt es in so einer Gemeinschaft auch Konflikte. Da mussten wir erst lernen, wie wir zu guten Lösungen kommen und mit Kritik umgehen können.

Aber ich bin sehr zufrieden mit unserem Dorf. Seit einem halben Jahr sind alle Gebäude fertig. Die alten Häuser sind jetzt barrierefrei, das heißt, auch für Rollstuhlfahrer geeignet, und energiesparend. Einige von uns haben ihren Arbeitsplatz im Dorf: Es gibt eine Tischlerei, eine Bio-Metzgerei, einen Friseur und zwei Musiker, die hier Unterricht geben. Drei Familien haben den landwirtschaftlichen Betrieb wieder aufgebaut, damit wir die Nachfrage nach Obst und Gemüse in unserem Dorf bedienen können.

80 Unsere Kinder können abseits vom Autoverkehr und von Abgasen spielen und die Natur erfahren. Unsere Eltern und Großeltern können hier betreut werden. Und wir alle haben täglich die Möglichkeit, uns zu entscheiden:
85 zwischen Miteinander oder Distanz, zwischen einer Tasse Espresso im Dorfcafé oder einem Tee auf dem eigenen Sofa. Uns ist soziales und ökologisches Engagement wichtig. Das Menschendorf lebt von der Vielfalt und davon, dass
90 jeder seine Träume und Wünsche einfließen lässt, damit gemeinsam etwas Neues entsteht.

Unsere Autorin Lisa Holluschek ist 42 Jahre alt und arbeitet als freie Grafikerin. Ihre Kinder Maja und Leon sind 9 und 11 Jahre alt.

b Was ist richtig? Überfliegen Sie den Text und kreuzen Sie an.

1 Lisa Holluschek beschreibt das Dorf,
- ○ in dem sie aufgewachsen ist.
- ○ das sie mit aufgebaut hat.

2 Sie fühlt sich dort wohl,
- ○ obwohl es auch Schwierigkeiten gab und gibt.
- ○ allerdings möchte sie nicht mehr dort wohnen, weil sie es zu anstrengend findet.

c Lesen Sie noch einmal, machen Sie sich Notizen zu den Fragen und vergleichen Sie mit Ihrer Partnerin / Ihrem Partner.

1 Wer hat sich zusammengeschlossen und warum?
2 Was haben die Menschen in der Planungsphase gemacht?
3 Wie beschreibt Lisa Holluschek das Zusammenleben der Dorfbewohner?

AB

4 Und Sie? Würden Sie gern in diesem Dorf wohnen? Warum / Warum nicht?

■ Für mich wäre das nichts. Wenn eine so große Gruppe alles gemeinsam beschließt, dauern die Prozesse einfach zu lang.
▲ Aber man kann anscheinend viel mitbestimmen. ...

AB

5 Wir hatten uns zusammengeschlossen, damit ...

Spiel & Spaß

a Markieren Sie die Subjekte in den Haupt- und Nebensätzen und die Konjunktionen wie im Beispiel. Kreuzen Sie dann in der Tabelle an.

Drei Familien haben den Betrieb wieder aufgebaut, damit wir die Nachfrage nach Obst und Gemüse bedienen können.
Wir hatten uns zusammengeschlossen, damit wir gemeinsam ein Dorf bauen.
Wir hatten uns zusammengeschlossen, um gemeinsam ein Dorf zu bauen.

GRAMMATIK

	damit	um ... zu
Das Subjekt in Haupt- und Nebensatz ist gleich. Man verwendet	○	○
Die Subjekte in Haupt- und Nebensatz sind verschieden. Man verwendet nur	○	○

b Absichten ausdrücken: Arbeiten Sie zu zweit auf Seite 95.

● Elektroauto ● Carsharing ● Fahrrad ● Smog ● Klimaerwärmung ● Wetterextreme

6 Radiosendung „Forum Zukunft"

Spiel & Spaß

a Welche Zukunftsszenarien aus dem Bildlexikon passen zu den Begriffen? Notieren Sie und vergleichen Sie mit Ihrer Partnerin / Ihrem Partner.

alternde Gesellschaft: ____________________
Ernährung: ____________________
Klimaveränderung: ____________________
Mobilität: ____________________

▶ 3 23 **b** Welche Zukunftsszenarien werden diskutiert? Hören Sie die Radiodiskussion und markieren Sie in **a**.

▶ 3 23 **c** Wer sagt was? Hören Sie die Radiodiskussion noch einmal und kreuzen Sie an.

noch einmal?

	Frau Grosser	Frau Granados	Herr Dr. Fischer	Herr Brandes
1 In einer alternden Gesellschaft sind Mehrgenerationen-Projekte eine gute Idee.	○	○	○	○
2 Technologische Lösungen sind nötig, um die wachsende Zahl der Senioren in Altenheimen betreuen zu können.	○	○	○	○
3 Ich befürworte Technologien, die mir helfen, mein Leben auch im Alter unabhängig zu gestalten.	○	○	○	○
4 In Zukunft können wir auch aus der Entfernung betreut werden.	○	○	○	○
5 Wir brauchen Elektroautos, die gemeinschaftlich genutzt werden.	○	○	○	○
6 In Sachen Klimaschutz können die Bürger mit ihren Initiativen unheimlich viel verändern.	○	○	○	○
7 Gemeinschaftsgärten und Bienenstöcke sind ein Zeichen für den zunehmenden Wunsch nach Selbstversorgung.	○	○	○	○

AB 7 Wir tun so, als ob …

Spiel & Spaß

a Lesen Sie und kreuzen Sie an. Welche Aussage passt zu dem Satz?

Wir tun so, als ob wir in Sachen Klimaschutz ewig Zeit für Veränderungen hätten.

○ Man hat keine Zeit mehr für Veränderungen.
○ Man hat noch ewig Zeit für Veränderungen.

GRAMMATIK

	***als ob* + Konjunktiv II**
So will man die Dinge sehen:	Wir tun so, als ob wir Zeit hätten.

b Bruno tut so, als ob ...: Arbeiten Sie zu zweit auf Seite 97.

AB **8** **Unsere Zukunft in 50 Jahren**

a Arbeiten Sie in Gruppen. Wie stellen Sie sich die Zukunft in 50 Jahren vor? Wählen Sie mehrere Themen und entwickeln Sie eine positive und eine negative Vision.

Gesellschaft (Freizeit, Arbeit, Gerechtigkeit, Verbrechen, ...) | Wirtschaft (Konsum, Unternehmen, Produktion, ...) | Technologie (Medizin, Maschinen/Roboter, Überwachung, Transport, ...) | Politik (Sicherheit, Freiheit, Macht, Mitbestimmung, ...)

Gesellschaft

Positive Vision	Negative Vision
niemand muss arbeiten, alle erhalten den gleichen Lohn	Arbeitnehmer arbeiten viel und bekommen einen geringen Lohn
Arbeit ist freiwillig, max. 20 Stunden pro Woche, es gibt keine Entlassungen mehr	Arbeitszeit: man muss 6 Tage pro Woche, mind. 60 Stunden anwesend sein
Freizeit ist wichtig	Sonntag: Hausarbeit viele klagen über gesundheitliche Beschwerden
alle haben viel Zeit und helfen sich gegenseitig, sie kommen dann auch mit weniger Geld aus	alle kommunizieren nur noch über den Computer, weil sie keine Zeit haben, sich zu treffen

b Machen Sie ein Plakat und schreiben Sie Texte zu Ihren Visionen. Suchen Sie auch passende Fotos oder zeichnen Sie.

Diktat

c Präsentieren Sie Ihre Visionen im Kurs. Die anderen kommentieren und begründen ihre Meinung.

KOMMUNIKATION

Überzeugung ausdrücken
Ich bin davon überzeugt, dass ... eine/keine Rolle spielen wird.
Bei der zunehmenden Globalisierung / Alterung der Gesellschaft / ...
Wir werden ... tun müssen, damit ...
Ist es realistisch, dass ...?
Wir müssen weiter intensiv ..., sonst ...
Wenn ..., dann haben wir keine andere Wahl.
Wenn sich die Zahl der ... weiter so erhöht/vergrößert, dann ...
Die Sache ist ganz einfach: Wir müssen ...
Wir können nicht so tun, als ob ...
Das löst mehrere Probleme auf einmal.
Es gibt keine Alternative zu ... / Dazu gibt es keine Alternative.
Meiner Überzeugung nach ...
Für mich besteht kein Zweifel daran, dass ...
Ich zweifle nicht daran, dass ...

9 Wünsche zum Abschied

a Lesen Sie.

Herzlichen Glückwunsch! Sie haben nun viele Monate mit *Menschen* gearbeitet und sicherlich viel gelernt! Wenn Sie möchten, können Sie nun eine B1-Prüfung machen. Dafür wünschen wir Ihnen viel Erfolg!

Wir, die AutorInnen und Redakteurinnen, hatten viel Vergnügen bei der Entwicklung von *Menschen*. Wir hoffen sehr, dass auch Sie Spaß mit den zahlreichen Geschichten und Übungen hatten.
Egal, ob Sie die deutsche Sprache für Ihren Beruf, Ihre Ausbildung, Ihre Familie oder Ihren Urlaub brauchen, jetzt haben Sie bereits einen großen Schritt gemacht. Wir hoffen, dass Sie auch in Zukunft noch viel und oft Deutsch sprechen. Vielleicht möchten Sie sogar noch weitere Kurse besuchen. In beiden Fällen wünschen wir Ihnen alles Gute für Ihre weitere Deutschkarriere!

b Schreiben Sie Ihren Namen auf einen Zettel. Mischen Sie die Zettel und ziehen Sie einen Namen. Was wünschen Sie der Person zum Kursabschluss? Machen Sie Notizen und schreiben Sie dann.

1 Wie ist die Person? / Was sind ihre Stärken?
2 Wofür möchten Sie sich bei der Person bedanken?
3 Was wünschen Sie der Person zum Abschied/Kursabschluss?

Audiotraining | Karaoke

GRAMMATIK

Konjunktionen *damit* / *um … zu* (Absichten ausdrücken)

Drei Familien haben den Betrieb wieder aufgebaut, damit wir die Nachfrage nach Obst und Gemüse bedienen können.
Wir hatten uns zusammengeschlossen, damit wir gemeinsam ein Dorf bauen.
Wir hatten uns zusammengeschlossen, um gemeinsam ein Dorf zu bauen.

Das Subjekt in Haupt- und Nebensatz ist gleich: Man kann damit oder um … zu verwenden.

Die Subjekte in Haupt- und Nebensatz sind verschieden: Man kann nur damit verwenden.

Konjunktion *als ob* + Konjunktiv II (irrealer Vergleich)

Wir tun so, als ob wir in Sachen Klimaschutz ewig Zeit für Veränderungen hätten.

KOMMUNIKATION

Überzeugung ausdrücken

Ich bin davon überzeugt, dass … eine/keine Rolle spielen wird.
Bei der zunehmenden Globalisierung / Alterung der Gesellschaft / …
Wir werden … tun müssen, damit …
Ist es realistisch, dass …?
Wir müssen weiter intensiv …, sonst …
Wenn …, dann haben wir keine andere Wahl.
Wenn sich die Zahl der … weiter so erhöht/vergrößert, dann …
Die Sache ist ganz einfach: Wir müssen …
Wir können nicht so tun, als ob …
Das löst mehrere Probleme auf einmal.
Es gibt keine Alternative zu … / Dazu gibt es keine Alternative.
Meiner Überzeugung nach …
Für mich besteht kein Zweifel daran, dass …
Ich zweifle nicht daran, dass …

Presseinformation

Unten Fische, oben Frische!

Aquaponik-Farm in Berlin richtet Besuchertag ein

Ab Mai öffnet die Firma ECF Farmsystems immer freitags ihren Aquaponik-Container zur Besichtigung. Was ist „Aquaponik“? Dieses Wort setzt sich aus „Aquakultur“ und „Hydroponik“ zusammen. Es beschreibt die Kombination von Fischaufzucht und Gemüseanbau.

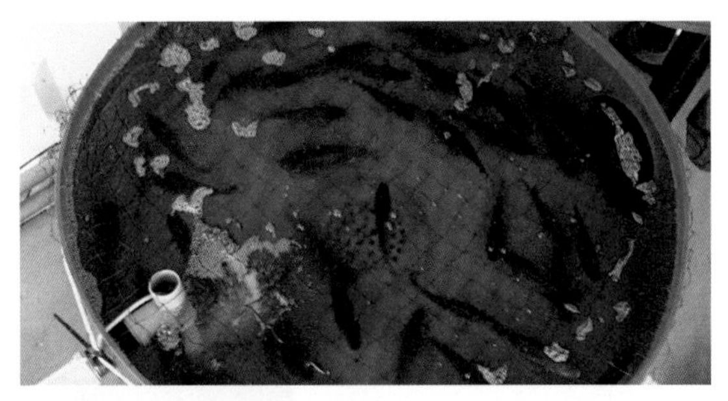

Die Anzahl der Fische pro Becken ist genau festgelegt, damit die Tiere keinen Stress haben und optimal wachsen können.

Neue Technologien sind wichtig, damit die wachsende Weltbevölkerung weiterhin gesund ernährt werden kann.

Auf dem Gelände der Malzfabrik Berlin kann man sich dieses intelligente Konzept ansehen. Dort leben ca. 100 Speisefische (meist Buntbarsche) in einem früheren Schiffscontainer in großen Wasserbecken. Im Gewächshaus, das auf dem Container steht, findet man Tomaten, Paprika, Gurken, Basilikum und vieles mehr. Diese Pflanzen brauchen nicht einmal Erde, um zu wachsen, denn sie bekommen all ihre Nährstoffe ausschließlich aus dem gefilterten Wasser der Fische. So kommt es zu einem umweltschonenden Kreislauf.

Mit dem Aquaponik-Konzept können Pflanzen und auch tierisches Eiweiß (z. B. Fische) mitten in der Stadt produziert werden, und zwar:

- auf allerkleinstem Raum
- ohne die Lebensmittel über weite Strecken zu transportieren
- ohne sie aufwendig zu kühlen
- bei sehr geringem Wasserverbrauch

Wenn Sie mehr über unser Konzept wissen oder eine individuelle Führung vereinbaren möchten, dann senden Sie uns bitte eine E-Mail an info@ecf-farmsystems.com und vereinbaren Sie mit uns einen Besichtigungstermin.

1 Lesen Sie und beantworten Sie die Fragen.

a Was bedeutet der Begriff „Aquaponik“?
   Aquaponik ist die Verbindung von Fischaufzucht (Aquakultur) und Pflanzenanbau ohne Erde (Hydroponik).
b Welche Produkte gibt es auf der Aquaponik-Farm?
c Was brauchen die Pflanzen für das Wachstum?
d Welche Vorteile hat Aquaponik?
e Wie können Sie sich informieren?

2 Und Sie?

Achten Sie beim Einkauf auf die Herkunft und die Herstellung der Produkte?

▶ Clip 8

1 In den Bergen

a **Worum geht es in diesem Film? Was meinen Sie? Sehen Sie den Anfang des Films ohne Ton (bis 0:41) und sprechen Sie.**

Ich vermute, dass das ein Heimatfilm ist.

b **Sehen Sie den Anfang des Films nun mit Ton (bis 0:41) und vergleichen Sie.**

c **Sehen Sie den Film weiter (bis 2:38) und sortieren Sie.**

◯ „Bei uns kommen ab und zu Wanderer vorbei, denen wir dann Milch, Käse und selbst gebackenes Brot servieren."

◯ „Mein Vater und die Sennerin betreuen meine Kühe über den ganzen Sommer und verarbeiten die Milch zu Bergkäse und Tilsiter."

① „Ich bin so oft wie möglich auf der Alm, weil ich mich dort oben so wohlfühle."

Thomas Fankhauser

◯ „Zusammen mit unseren 10 Kühen produzieren wir 10 000 Liter Heumilch. Daraus werden 1000 Kilo Käse hergestellt. Wir stellen hauptsächlich Bergkäse und Tilsiter, aber auch andere Milchprodukte wie Butter und Topfen her."

Martina Irlbacher

INFO
Heumilch wird besonders naturnah und traditionell hergestellt. Die Kühe ernähren sich im Sommer von frischem Gras, Kräutern und Blumen und im Winter von Heu und Getreide. Deswegen hat die Heumilch nicht nur eine hohe Qualität, sondern auch einen besonderen Geschmack.

2 Heumilch-Produkte in Österreich

▶ Clip 8

a **Was ist richtig? Sehen Sie jetzt den ganzen Film und kreuzen Sie an.**

1 In Österreich verbringen alle Heumilch-Kühe die Sommermonate in den Bergen. ◯
2 Aus Heumilch kann Käse ohne Konservierungsmittel hergestellt werden. ◯
3 In Österreich müssen alle Käsesorten aus Heumilch hergestellt werden. ◯
4 In Österreich gibt es mehr als 80 Betriebe, die Heumilch verarbeiten. ◯
5 Die Betriebe stellen neben Käse auch viele andere Milchprodukte her. ◯

b **Und Sie? Haben Sie schon Heumilch-Produkte gegessen oder würden Sie gern einmal welche probieren? Erzählen Sie.**

1 Sprichwörter: Lesen Sie und ordnen Sie die passenden Sprichwörter aus dem Text zu.

Sprichwörter sind Sätze, die in der Regel eine Erkenntnis oder eine Lebenserfahrung ausdrücken. Das können Alltagserfahrungen und Meinungen („Ein blindes Huhn findet auch mal ein Korn.“), Warnungen („Wer anderen eine Grube gräbt, fällt selbst hinein.“) oder Empfehlungen („Früh übt sich, wer ein Meister werden will.“) sein. Die Autoren sind in der Regel unbekannt. Aber es gibt auch Sätze aus der Bibel und der Literatur, die so häufig benutzt wurden, dass sie heute als Sprichwörter gelten.

Eine Schwalbe macht noch keinen Sommer.
Bedeutung: Ein einzelnes positives Ereignis bedeutet nicht, dass alles besser wird.
Herkunft: Eine Fabel von Äsop: Ein junger Mann hat nur noch einen Mantel übrig, nachdem er zuvor sein ganzes Geld ausgegeben hat. Als er eine Schwalbe sieht, verkauft er auch seinen Mantel. Doch es gibt noch einmal Frost, sodass der Mann frieren muss und die Schwalbe stirbt.
Englisch: One swallow doesn't make a summer.

Hunde, die bellen, beißen nicht.
Bedeutung: Jemand, der laut und aggressiv ist, ist ungefährlich und wird wahrscheinlich nicht nach seinen Worten handeln.
Herkunft: Alltagserfahrungen: Hunde zeigen vor Angriffen keine Signale.
Wenn sie aber bellen, kommt es fast nie zu ernsthaften Kämpfen.
Englisch: Barking dogs don't bite.

2 Mein schönstes Sprichwort

a Wählen Sie ein Sprichwort, recherchieren Sie im Internet und/oder in Wörterbüchern und machen Sie Notizen zu den Fragen.

Kleider machen Leute. | Viele Wege führen nach Rom. | Aller guten Dinge sind drei. | Geteiltes Leid ist halbes Leid. | Zeit ist Geld. | Aller Anfang ist schwer. | Man soll die Feste feiern, wie sie fallen. | Ausnahmen bestätigen die Regel. | Du siehst den Wald vor lauter Bäumen nicht.

1 Was bedeutet das Sprichwort?
2 Gibt es ein ähnliches Sprichwort in Ihrer Muttersprache?

b Machen Sie ein Sprichwort-Büchlein im Kurs: Schreiben Sie kurze Texte zu Ihrem Sprichwort und suchen Sie passende Bilder. Präsentieren Sie Ihr Sprichwort im Kurs.

Wir alle sind Menschen

Refrain
Wir alle sind Menschen,
ob Bauer, ob Banker,
Friseur und Fakir.
Was unterscheidet uns vom Tier?

1 Das fehlende Fell?
Wir wurden geboren,
mit Nasen und ______________.
Ohne Pelz und Gefieder,
nur Haut und Glieder.
Was noch, was noch, was noch?

2 Der aufrechte Gang?
Gehen statt bücken,
mit geradem ______________.
Damit wir ______________
und tanzen können.
Was noch, was noch, was noch?

3 Emotionen, Gedanken?
Dass wir uns ______________,
statt zu bekriegen?
Dass wir verzeihen,
statt nur zu ______________?
Was noch, was noch, was noch?

4 Ist es die Sprache?
Denn Sprachen ______________,
Grenzen verschwinden,
Menschen verstehen sich.
Mensch, trau dich und ______________!
Das unterscheidet auch dich vom Tier.

▶ 3 24 **1 Arbeiten Sie zu zweit und ergänzen Sie den Liedtext. Hören Sie dann das Lied und vergleichen Sie.**

lieben | Ohren | rennen | Rücken | schreien | sprich | verbinden

2 Menschen und Tiere
Gruppenarbeit: Notieren Sie Gemeinsamkeiten und Unterschiede. Vergleichen Sie Ihre Notizen dann mit einer anderen Gruppe.

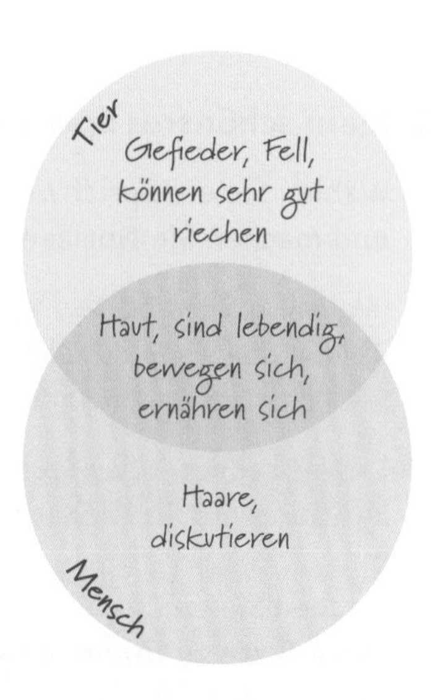

KB | S. 11 

Gründe und Folgen angeben: Es war sehr laut auf dem Bahnsteig, daher habe ich die Durchsage nicht verstanden.

a **Arbeiten Sie zu zweit. Suchen Sie passende Satzteile. Würfeln Sie dann und schreiben Sie Sätze. Achten Sie auf die Reihenfolge der Satzteile.**

Gründe	Folgen
bald in Österreich studieren wollen	den Anschlussflug nicht bekommen werden
sehr laut auf dem Bahnsteig sein	passende Geschäftskleidung besorgen müssen
morgen ein Vorstellungsgespräch haben	die Arbeit der letzten Stunde weg sein
mein Flugzeug zu spät abgeflogen sein	die Durchsage nicht verstanden haben
meine Brille vergessen haben	ihn oft nur schlecht verstehen
ersten Arbeitsplatz in einem Büro bekommen haben	Deutsch in einem Intensivkurs lernen
durch die Prüfung gefallen sein	dem Gespräch gar nicht mehr folgen können
meine Datei nicht gespeichert haben	Grammatik und Wortschatz wiederholen müssen
beim Mittagessen alle durcheinander geredet haben	die Speisekarte nicht lesen können
mein Briefträger eine sehr undeutliche Aussprache haben	sehr nervös sein

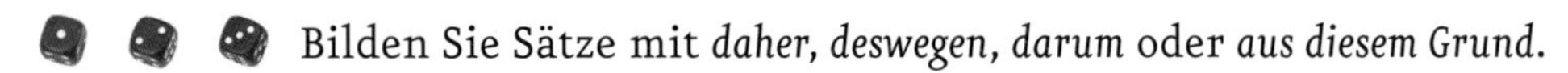
Bilden Sie Sätze mit *daher, deswegen, darum* oder *aus diesem Grund.*

Bilden Sie Sätze mit *nämlich.*

b **Tauschen Sie die Sätze mit einem anderen Paar. Schreiben Sie vier der Sätze mit *wegen*. Achtung: Sie müssen die Sätze oft anders formulieren.**

Es war sehr laut auf dem Bahnsteig. Daher habe ich die Durchsage nicht verstanden. =
Wegen des Lärms auf dem Bahnsteig habe ich die Durchsage nicht verstanden.

Wörter im Text verstehen

**Sehen Sie die markierten Wörter an: 11 sind falsch und 5 sind richtig.
Finden Sie die Fehler und ergänzen Sie die richtigen Wörter aus dem Kasten.**

hinzufügen | Freude | Gewürzen | lernt | Möglichkeit | notwendig | reich | schaffe | Software | Tür | ändern

1 Sicher Klettern – Samstagskurs
Klettern ist eine herausfordernde Sportart. Beim Klettern bringt man Ausdauer, Konzentration und gegenseitiges Vertrauen. Daher eignet sich Klettern prima, um körperlich und geistig fit zu bleiben. In unserem Ein-Tages-Kurs haben Sie die Gefahr, diesen Sport kennenzulernen. Sie lernen die entscheidenden Grundlagen. Die Teilnahme ist auf eigene Gefahr, wir übernehmen keine Haftung für Unfälle. Bitte eine bequeme Hose, Turnschuhe und etwas zu trinken mitbringen.

2 Musik aus dem Internet – wie geht das? (Seniorenprogramm)
Im Kurs lernen Sie, auf welchen Wegen Sie aktuelle Musik aus dem Internet (legal) herunterladen können und welche Talente Sie zum Abspielen und Verwalten der Musikstücke am PC benötigen. Ganz praktisch üben wir, wie Sie ausgewählte Musikstücke zu Ihrer persönlichen Musikbibliothek kaufen können.

3 Wie verhalte ich mich in Berufssituationen am Telefon?
Mit Telefongesprächen wird häufig der erste berufliche Kontakt geknüpft. Anders als in persönlichen Gesprächen müssen Sie ohne Gestik, Mimik und Blickkontakt kommunizieren. Natürlichkeit, der richtige Ton und die passende Strategie sind daher für ein überzeugendes und sicheres Gesprächsverhalten extrem wichtig.
Seminarinhalte für Einsteiger: Der erste Eindruck zählt – Wie entdecke ich ein positives Gesprächsklima?, Aktives Zuhören und Fragetechniken, Argumentationstechniken, Verhalten in schwierigen Situationen, Atem- und Stimmübungen/-schulung

4 Wir singen Lieder aus aller Welt
Dieser Kurs ist für alle, die Ideen am Singen haben. Unser Chor singt ausgewählte Lieder aus verschiedenen Zeiten und Stilrichtungen. Außerdem machen wir Übungen für die Stimme. Erfahrung im Chorsingen ist nicht zufällig.

5 1001 Küche – Die Küche des Orients
Die Küche des Orients ist fit an Ideen und Geschmacksrichtungen. In diesem Kurs für Kochprofis werden wir exotische Gerichte mit duftenden Blumen und Kräutern zubereiten. Unsere Rezepte stammen aus Syrien, Afghanistan, Irak und der Türkei. Zu jeder Mahlzeit gibt es landestypische Getränke. Bitte mitbringen: Küchenschürze, Küchenhandtücher, Behälter für Kostproben.

6 Schneiderwerkstatt für Fortgeschrittene: selbst gemachte Sommerkleidung
Der Sommer steht vor der Wahl, Sie brauchen ein schickes Sommerkleid und kennen bereits die Grundtechniken des Nähens? In der Werkstatt lernen Sie, wie Sie Kleidungsstücke entwerfen, nähen oder wählen können. Bitte mitbringen: Stoffreste, Nähgarn, Nähnadeln, Bleistift, Schere und viel Fantasie!

KB | S. 29 

Aktivitäten-Bingo: Wer brauchte was nicht zu machen?
Suchen Sie Personen im Kurs und notieren Sie die Namen. Wer hat zuerst vier Personen, die etwas nicht zu machen brauchten?

Möglichkeit 1: senkrecht

Möglichkeit 2: waagerecht

Möglichkeit 3: diagonal

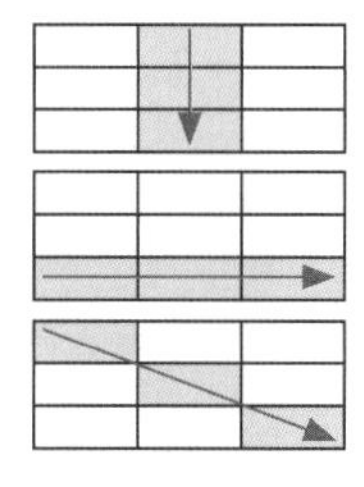

■ Musstest du früher / als Jugendliche/r auch immer im Haushalt helfen?
▲ Nein, ich brauchte nie/nicht im Haushalt zu helfen. Ich sollte nur …

■ Musstest du früher / als Jugendliche/r kochen?
▲ Ja, das musste ich am Samstag. Einmal die Woche hatte ich mit meinem Bruder zusammen Kochtag.

Klavier oder ein anderes Instrument lernen	nach der Schule als erstes die Hausaufgaben erledigen	im Haushalt helfen	mit deinen Eltern in den Urlaub fahren
für größere Anschaffungen jobben	deine Handyrechnung selbst bezahlen	am Sonntag zum Essen zu Hause sein	Nachhilfe nehmen
deine Kosmetik und Schminke selbst bezahlen	am Wochenende vor Mitternacht zu Hause sein	deine Kleidung vom Taschengeld kaufen	zu Hause kochen
auf deine Geschwister aufpassen	wochentags zu einer festen Zeit ins Bett gehen	deine erste Freundin / deinen ersten Freund heimlich treffen	beim Essen das Handy ausschalten

Gesprächspuzzle erstellen: Wie geht es Ihnen?

a Arbeiten Sie zu zweit und wählen Sie zwei Zeichnungen. Schreiben Sie Gespräche zu den Zeichnungen und verwenden Sie möglichst viele Ausdrücke mit *es*.

① 

② 

③ 

④ 

⑤ 

⑥ 

⑤
- ● Prost! Es ist schon nach Mitternacht. Jetzt muss ich bald los.
- ▲ Ja, stimmt. Es ist schon spät. Aber es war nett, dich mal wieder zu treffen. Das sollten wir öfter machen.
- ● Und es gibt auch immer so viel zu erzählen! Aber wenn ich jetzt nicht nach Hause gehe, wird es morgen schwierig, pünktlich aufzustehen. ...

b Machen Sie ein Puzzle aus Ihren Gesprächen und tauschen Sie mit einem anderen Paar. Können Sie die Gespräche wieder richtig sortieren?

KB | S. 37 

Ich interessiere mich zwar für ..., aber nicht für ...

a Verbinden Sie und markieren Sie die zweiteiligen Konjunktionen.

1	Die großen Parteien profitieren nicht von der Repolitisierung der Jugend. Junge Leute interessieren sich weder für die SPD	sondern auch über ihr Sozialverhalten herausfinden wollen.
2	Jugendliche engagieren sich sowohl für Klimaschutz	oder die Grünen.
3	Kleinere Parteien werden populärer. Junge Wähler wählen entweder die FDP, DIE LINKE	noch für die CDU.
4	Regelmäßig interviewen Forscher Jugendliche, weil sie nicht nur etwas über ihre Werte,	aber sie engagieren sich nicht in Parteien.
5	Jugendliche werden zwar wieder politisch aktiver,	als auch für Bildung.

b Ergänzen Sie.

1 

Ich interessiere mich weder für Wirtschafts-politik __________ für Finanzpolitik.

2 

Ich interessiere mich __________ für Umwelt-schutz, __________ nicht für Tierschutz.

3 

Ich wähle __________ die Grünen __________ DIE LINKE.

c Arbeiten Sie zu zweit. Machen Sie eigene Zeichnungen wie in b und tauschen Sie mit einem anderen Paar. Schreiben Sie passende Sätze zu den Zeichnungen.

KB | S. 39 **Lektion 18** 8

Kreuzworträtsel

Partner A

a Schreiben Sie Erklärungen zu den Wörtern im Kreuzworträtsel.

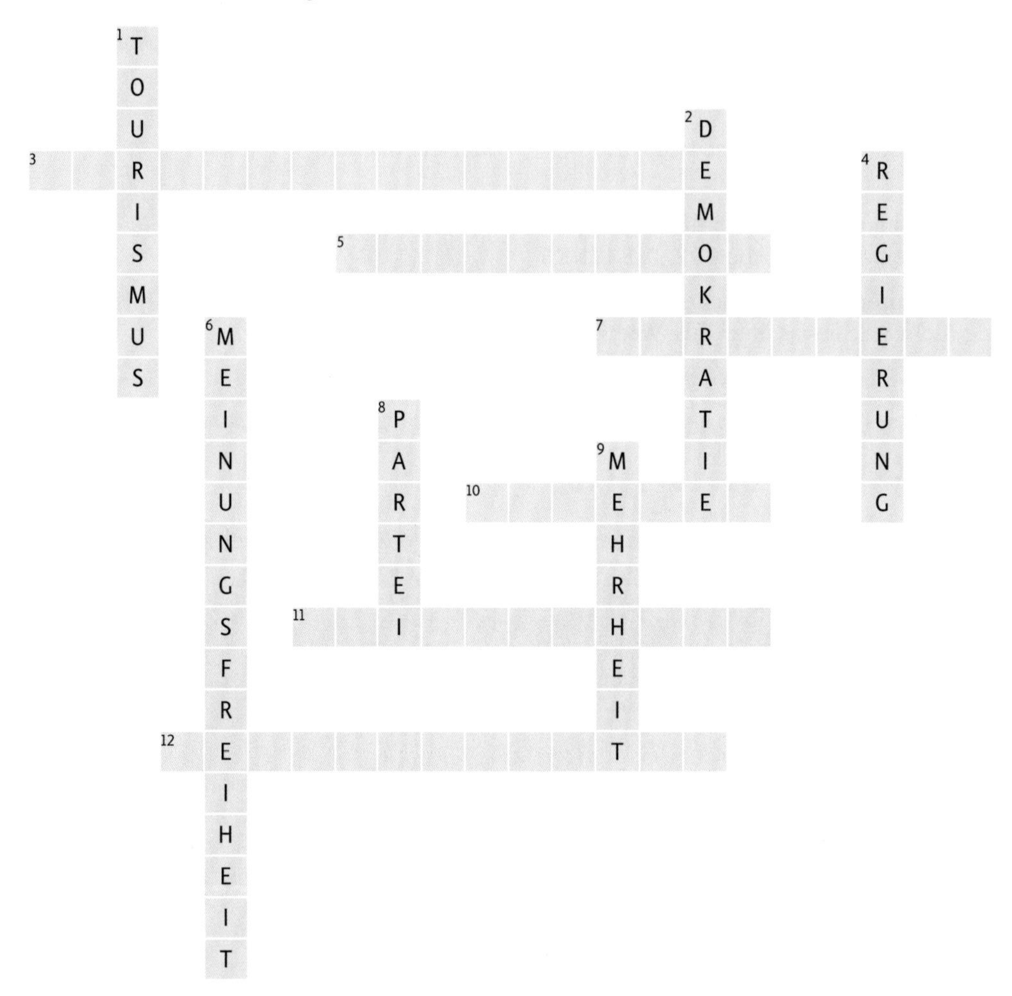

1: Das ist eine Branche, in der man arbeiten kann.
Die Branche beschäftigt sich mit Reisen.

b Fragen Sie Ihre Partnerin / Ihren Partner nach den Erklärungen für die fehlenden Wörter und ergänzen Sie Ihr Kreuzworträtsel.

- ■ Welches Wort muss ich bei Nummer 3 eintragen?
- ▲ Hier kann man Menschen treffen, die ein bestimmtes Ziel haben und sich dazu engagieren möchten …

KB | S. 47 

Vergleiche: Je älter ich wurde, desto/umso …

a Arbeiten Sie zu zweit. Was passt zusammen? Schreiben Sie fünf Sätze mit *je … desto/umso …* auf Kärtchen.

je …	desto/umso …
alt werden	sich viel leisten können
deutlich sprechen	zunehmen
lange gesund sein	glücklich sein
viel anziehen	sich gut erholen
offen auf Menschen zugehen	viel Zeit haben
laut donnern	tolerant sein
viel Schokolade essen	viele Leute kennenlernen
aktiv sein	andere gut überzeugen
lange Urlaub machen	besser verstehen
kreativ sein	gesund sein
lange berufstätig sein	fit sein
lange schlafen	ängstlich sein
sicher sein	wenig frieren
sich wenig aufregen	wenig heizen
wenig arbeiten	dankbar sein
viel Sport treiben	viel einfallen

Je älter meine Oma wurde, desto toleranter war sie.

b Arbeiten Sie mit zwei anderen Paaren. Lesen Sie Ihre Satzanfänge vor. Die anderen Paare ergänzen passende Satzteile. Das Paar, das den Satz zuerst ergänzen kann, bekommt Ihr Kärtchen. Das Paar mit den meisten Kärtchen gewinnt.

■ Je älter meine Oma wurde, …
▲ Je älter meine Oma wurde, desto glücklicher war sie.
■ Ja, wir haben geschrieben: Je älter meine Oma wurde, desto toleranter war sie. Aber glücklicher ist auch richtig.

Variante:
Verdecken Sie die zweite Spalte und wählen Sie eigene Satzteile.

Präsentation einer Urlaubsregion

a **Wählen Sie eine Urlaubsregion aus Ihrem Heimatland und machen Sie Notizen zu den Folien.**

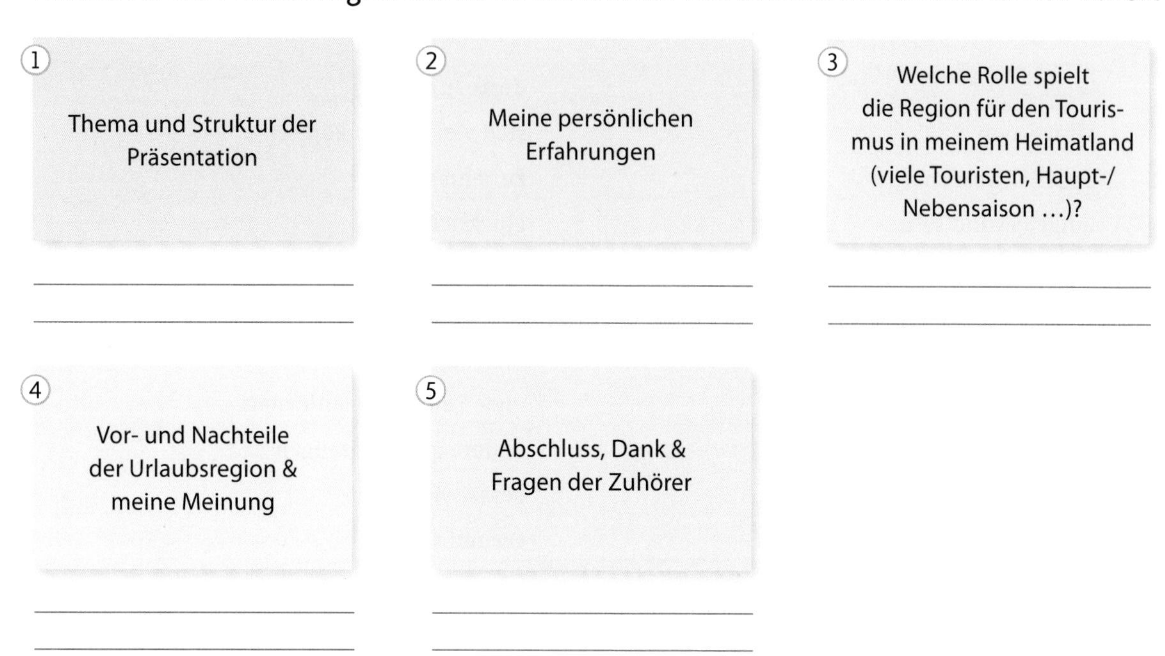

WIEDERHOLUNG

KOMMUNIKATION

eine Präsentation strukturieren

Einleitung
In meiner Präsentation geht es um das Thema … | Zum Inhalt meiner Präsentation: … | Zunächst/ Zuerst möchte ich Ihnen erläutern, … | Danach zeige ich Ihnen … | Anschließend möchte ich auf … eingehen. | Abschließend können Sie Fragen stellen.

Übergänge
Und damit/nun komme ich zum nächsten/letzten Punkt / zu meinen persönlichen Erfahrungen / zur Situation in meinem Heimatland / zu den Vor- und Nachteilen. | Als ich das letzte Mal …, habe ich Folgendes erlebt: … | Ich habe die Erfahrung gemacht, dass … | … spielt eine große Rolle / keine Rolle in meinem Heimatland. | Meiner Ansicht/Meinung nach …

Abschluss
Ich bin nun mit meinem Vortrag am Ende. Haben Sie noch Fragen? | Ich danke Ihnen fürs Zuhören! | Besten Dank für Ihre Aufmerksamkeit. / Ihr Interesse.

b **Präsentieren Sie Ihre Region im Kurs. Die anderen arbeiten zu zweit und formulieren anschließend zwei Kommentare und zwei Fragen zu Ihrer Präsentation.**

Der Vortrag war sehr interessant. Wir könnten uns gut vorstellen, dort einmal Urlaub zu machen.
Wir haben jedoch noch Fragen: Wir würden gern wissen, ob es eigentlich auch …

c **Fragen Sie, ob Ihre Zuhörer noch Fragen oder Kommentare haben und reagieren Sie.**

■ Habt ihr noch Fragen?
▲ Der Vortrag war sehr interessant. Wir könnten uns gut vorstellen, …
Wir haben jedoch noch Fragen: Wir würden gern wissen, ob es eigentlich auch …
■ Ich habe euch ja von … erzählt. …

KB | S. 39 

Kreuzworträtsel

Partner B

a Schreiben Sie Erklärungen zu den Wörtern im Kreuzworträtsel.

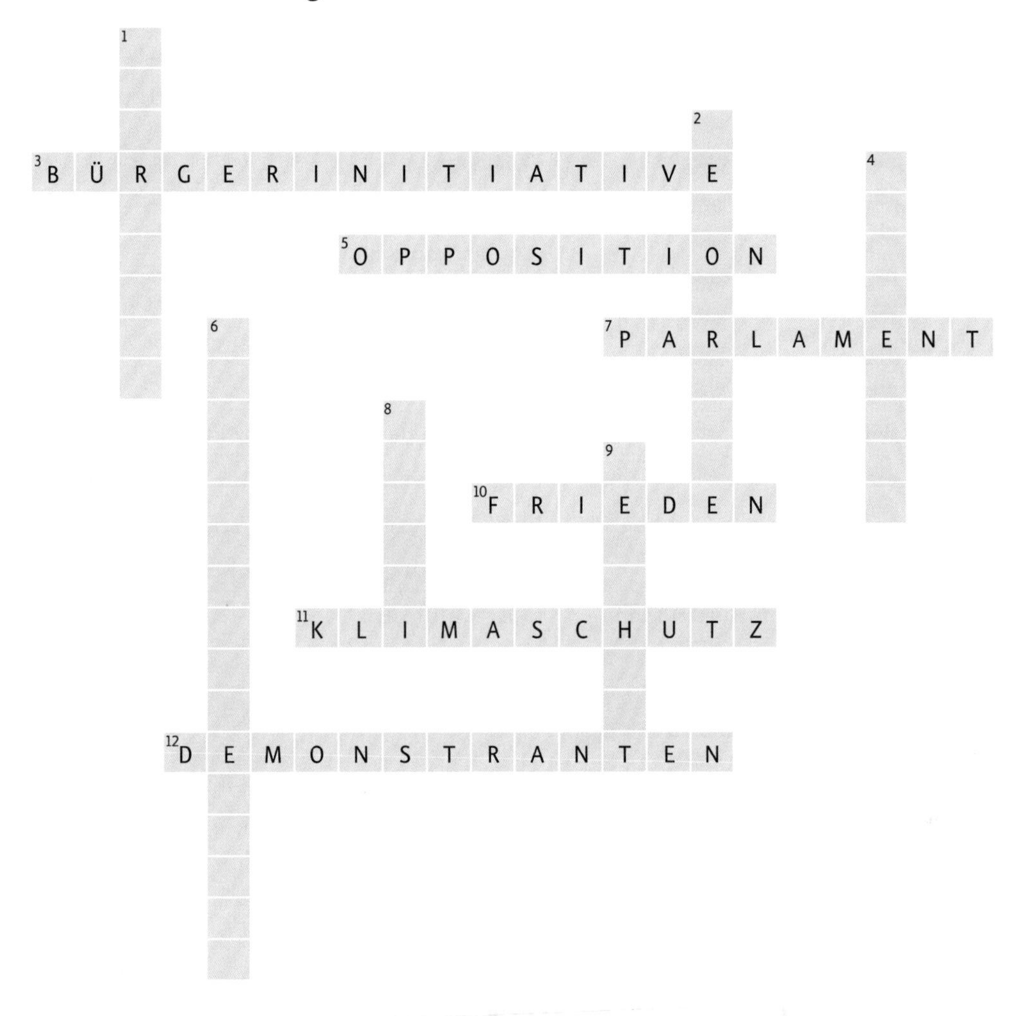

3: Hier treffen sich Menschen, die ein bestimmtes Ziel haben. Man kann sich hier zu einem bestimmten Thema engagieren.

b **Fragen Sie Ihre Partnerin / Ihren Partner nach den Erklärungen für die fehlenden Wörter und ergänzen Sie Ihr Kreuzworträtsel.**

▲ Welches Wort muss ich bei Nummer 1 eintragen?

■ Das ist eine Branche, in der man arbeiten kann. Man beschäftigt sich mit …

Mittel und Resultate angeben: Indem ich vorher reserviere, ...

- Arbeiten Sie zu viert. Würfeln Sie: Welche Konjunktion sollen Sie verwenden?
- Wählen Sie zwei passende Satzteile und bilden Sie einen Satz. Ist der Satz richtig? Dann bekommen Sie einen Punkt.
- Spielen Sie fünf Minuten. Gewonnen hat die Person mit den meisten Punkten.

Mittel	Resultat
vorher reservieren	auch ohne Karte zahlen können
Obst und Brot mitnehmen	Schlafräume sauber halten
genug Bargeld einstecken	sich während der Wanderung stärken können
früh ins Bett gehen	auf den Wirt Rücksicht nehmen
Proviant einpacken	eine ruhige Nacht haben
Wanderstiefel ausziehen	sicher mit dem Schlafplatz klappen
Müll nirgends liegen lassen	nicht vor verschlossener Tür stehen
Ohrstöpsel benutzen	bei Schwierigkeiten Unterstützung erhalten
Öffnungszeiten beachten	bei der Rast genug zu essen haben
Wanderung planen und Ziel im Hüttenbuch bekannt geben	ausgeruht sein

Bilden Sie einen Satz mit *indem*.
Bilden Sie einen Satz mit *sodass*.

■ Indem ich vorher reserviere, klappt es sicher mit einem Schlafplatz.
▲ Das ist richtig, Maria. Dafür bekommst du einen Punkt.

■ Ich reserviere vorher, sodass es sicher mit einem Schlafplatz klappt.
▲ Das ist auch richtig.

Variante:
Schreiben Sie eine eigene Tabelle mit Mitteln und Resultaten und spielen Sie.

KB | S. 55 **Lektion 21 | 5b**

▶ 3 07 **Außerhalb des Dorfes liegt ...**

Hören Sie die Dorfbeschreibung und ergänzen Sie die Zeichnung.
Vergleichen Sie dann mit Ihrer Partnerin / Ihrem Partner.

Bahnhof | Berge | Fußgängerzone | Hallenbad | Kaufhaus |
Marktplatz | Stadion | Parkhaus | Wald | Weg

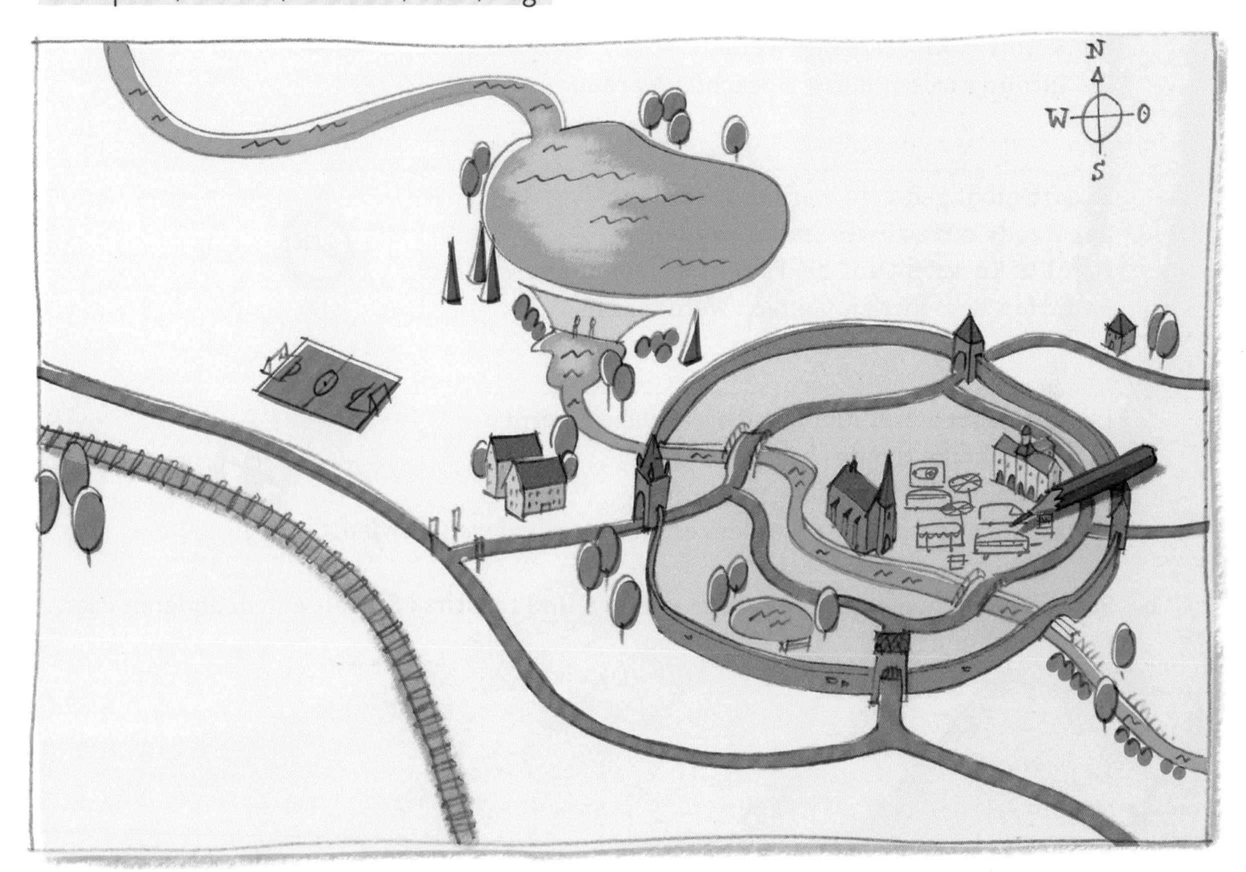

Auflösung zu Seite 59 (Musterlösung):

1: Wie transportieren Sie die Post?

2: Was gefällt Ihnen besonders gut an Ihrer Arbeit? Was ist schwierig?

KB | S. 56 **Lektion 21 | 8**

Rätsel erstellen: Es darf nicht geraucht werden.

a **Welcher Ort / Welche Situation passt? Arbeiten Sie zu zweit und ergänzen Sie.**

In der Bank

Es kann Geld eingezahlt und abgehoben werden.
Rechnungen können überwiesen werden.
Ein Kredit kann beantragt werden.
Die Öffnungszeiten müssen beachtet werden.

____

Es darf nicht geraucht werden.
Das Handy muss ausgeschaltet werden.
Es sollte Rücksicht auf die Patienten genommen werden.
Es dürfen Besucher empfangen werden.

____

Im Wörterbuch darf nichts nachgeschlagen werden.
Es dürfen keine Handys benutzt werden.
Es muss pünktlich angefangen werden.
Es darf nicht gesprochen werden, es muss geschwiegen werden.

b **Schreiben Sie nun eigene Aufgaben wie in a und tauschen Sie mit einem anderen Paar.**

KB | S. 65 

Lektion 22 | 4b

Deutsche Geschichte **Partner A**

Fragen Sie Ihre Partnerin / Ihren Partner und ergänzen Sie die fehlenden Informationen.

1	Wer wurde 1871 zum ersten deutschen Kaiser ernannt?	Wilhelm I.
2	Wann wurde die erste deutsche Republik (Weimarer Republik) gegründet?	12.11.1918
3	Wann ist in Deutschland das Frauenwahlrecht eingeführt worden?	
4	Von wem wurde die deutsche Nationalhymne gedichtet?	August Heinrich Hoffmann von Fallersleben
5	Wer wurde 1949 zum ersten Bundeskanzler der BRD gewählt?	
6	Wer wurde zum ersten und einzigen Staatspräsidenten der DDR ernannt?	Wilhelm Pieck
7	Was wurde durch die Pressekonferenz mit Günter Schabowski am 9. November 1989 ausgelöst?	
8	Wer war zur Zeit der Maueröffnung Bundeskanzler und wurde zum „Kanzler der Einheit"?	Helmut Kohl
9	Was ist am 3. Oktober 1990 zum ersten Mal gefeiert worden?	
10	Was ist am 1. November 1993 gegründet worden?	die EU
11	Wann ist in Deutschland der Euro eingeführt worden?	

■ Wer wurde 1871 zum ersten deutschen Kaiser ernannt?

▲ Wilhelm I.

Auflösung zu Seite 66:

1 Innsbruck; 2 Hannover; 3 Falco; 4 Heidi; 5 Wolfgang Amadeus Mozart; 6 Locarno; 7 Moritz Bleibtreu

Energie sparen

Ich lüfte nie, ohne die Heizung auszumachen. /
Ich lüfte nie, ohne dass ich die Heizung ausmache.

a **Arbeiten Sie zu zweit, wählen Sie eine passende Ergänzung und notieren Sie.**

allein mit dem Auto fahren | das Auto nehmen | den Deckel auf den Topf legen | die Stecker von Stand-by-Geräten aus der Steckdose ziehen | ein Steak braten | fliegen | in der Badewanne baden | ~~die Heizung ausmachen~~ | Trinkwasser nehmen | Plastiktüten kaufen

Nadine	**Moritz**
1 Ich lüfte nie, ohne die Heizung auszumachen / ohne dass ich die Heizung ausmache.	6 Ich fahre lieber mit der Eisenbahn in den Urlaub, statt ______
2 Ich mache mir lieber ein Gemüsegratin, statt ______	7 Ich nehme meistens einen Stoffbeutel mit, statt ______
3 Ich gehe nicht ins Bett, ohne ______	8 Ich koche nie Nudelwasser, ohne ______
4 Kurze Strecken fahre ich immer mit dem Fahrrad, statt ______	9 Meiner Ansicht nach sollten wir nur duschen, statt ______
5 Meine Blumen gieße ich mit Regenwasser, statt ______	10 Für den Arbeitsweg haben wir eine Fahrgemeinschaft gebildet, statt ______

Variante:
Wählen Sie eigene Ergänzungen.

b **Vergleichen Sie mit einem anderen Paar.**

■ Nadine lüftet nie, ohne die Heizung auszumachen.
▲ Ja, und sie …

KB | S. 73 

Absichten ausdrücken

Schreiben Sie zu zweit Satzverbindungen. Verwenden Sie *um ... zu*, wenn möglich.

1	Wir treffen uns zwei Jahre lang regelmäßig.	Wir lernen uns kennen.
2	Wir schließen Kompromisse.	Wir kommen zu einem Ergebnis.
3	Interessierte wohnen ein halbes Jahr zur Probe.	Wir lernen uns kennen.
4	Meine Nachbarin passt auf mein krankes Kind auf.	Ich kann zu einem Kundentermin in die Stadt fahren.
5	Alle lassen ihre Wünsche einfließen.	Es entsteht gemeinsam viel Neues.
6	Wir haben uns festgelegt und Entscheidungen getroffen.	Unser Traum wird realisiert.
7	Wir wohnen auf dem Land.	Die Kinder können die Natur erleben.
8	Wir leben in einer Gemeinschaft.	Wir unterstützen uns gegenseitig.
9	Soziales und ökologisches Engagement ist mir wichtig.	Meine Kinder haben eine positive Zukunft.
10	Wir teilen uns Autos.	Wir schützen die Umwelt.
11	Wir haben die Gebäude modernisiert.	Wir sparen Energie.
12	Wir holen uns professionelle Hilfe.	Wir lösen Konflikte.

Wir treffen uns zwei Jahre lang regelmäßig,
um uns kennenzulernen.

Variante:
Mit welcher Absicht wohnen Sie in der Stadt / auf dem Land / ...? Schreiben Sie fünf eigene Satzverbindungen. Vergleichen Sie dann mit einem anderen Paar.

Ich wohne in der Stadt, um einen kurzen Arbeitsweg zu haben.
Ich wohne in der Stadt, damit meine Kinder keinen weiten Schulweg haben.
Ich wohne in einer kleinen Wohnung, ...
Ich habe einen Garten, ...

Deutsche Geschichte

Partner B

Fragen Sie Ihre Partnerin / Ihren Partner und ergänzen Sie die fehlenden Informationen.

1	Wer wurde 1871 zum ersten deutschen Kaiser ernannt?	Wilhelm I.
2	Wann wurde die erste deutsche Republik (Weimarer Republik) gegründet?	12.11.1918
3	Wann ist in Deutschland das Frauenwahlrecht eingeführt worden?	12.11.1919
4	Von wem wurde die deutsche Nationalhymne gedichtet?	
5	Wer wurde 1949 zum ersten Bundeskanzler der BRD gewählt?	Konrad Adenauer
6	Wer wurde zum ersten und einzigen Staatspräsidenten der DDR ernannt?	
7	Was wurde durch die Pressekonferenz mit Günter Schabowski am 9. November 1989 ausgelöst?	die Maueröffnung
8	Wer war zur Zeit der Maueröffnung Bundeskanzler und wurde zum „Kanzler der Einheit"?	
9	Was ist am 3. Oktober 1990 zum ersten Mal gefeiert worden?	die deutsche Einheit
10	Was ist am 1. November 1993 gegründet worden?	
11	Wann ist in Deutschland der Euro eingeführt worden?	1. Januar 2002

■ Wer wurde 1871 zum ersten deutschen Kaiser ernannt?
▲ Wilhelm I.

KB | S. 75 
Lektion 24 7b

Bruno tut so, als ob ... Aber in Wirklichkeit ...

a Arbeiten Sie zu zweit. Wählen Sie einen passenden Satzanfang und schreiben Sie Sätze zu den Zeichnungen.

Er tut so | Es scheint so | Es sieht so aus | Es hört sich so an

①

④

②

⑤

③

⑥

① Bruno tut so, als ob er sich über den überraschenden Besuch freuen würde.
Aber in Wirklichkeit möchte er seine Ruhe haben und fernsehen.

b Zerschneiden Sie Ihre Sätze und machen Sie ein Satzpuzzle. Tauschen Sie das Satzpuzzle mit einem anderen Paar.

Bruno tut so, als ob er sich über den überraschenden Besuch freuen würde.

Aber in Wirklichkeit möchte er seine Ruhe haben und fernsehen.

Variante:
Machen Sie eigene Strichzeichnungen und tauschen Sie mit einem anderen Paar.

Die alphabetische Wortliste enthält die neuen Wörter dieses Buches mit Angabe der Seiten, auf denen sie das erste Mal vorkommen. Wörter, die für die Prüfungen der Niveaustufen A1, A2 und B1 nicht verlangt werden, sind kursiv gedruckt. Bei allen Wörtern ist der Wortakzent gekennzeichnet: Ein Punkt (a) heißt kurzer Vokal, ein Unterstrich (a) heißt langer Vokal. Nomen mit der Angabe (Sg.) verwendet man (meist) nur im Singular. Nomen mit der Angabe (Pl.) verwendet man (meist) nur im Plural. Trennbare Verben sind durch einen Punkt nach der Vorsilbe gekennzeichnet (ab·brechen).

die 1980er-Jahre (Pl.) 36
die 1990er-Jahre (Pl.) 36
das 3-Gänge-Menü, -s 25
ab·brechen 32
ab·fliegen 81
das Abgas, -e 73
ab·grenzen (sich) 28
ab·heben 92
die Ablehnung, -en 69
abschnittsweise 21
abseits 73
die Absicht, -en 73
das Abspielen (Sg.) 14
ab·transportieren 50
abwechselnd 32
acht·geben 20
der Acker, ¨ 47
der/die Adelige, -n 41
die Adjektivendung, -en 16
der Advokat, -en / die Advokatin, -nen 9
(das) Afghanistan 14
aggressiv 79
der Aktivismus (Sg.) 40
der Akzent, -e 11
alleinerziehend 72
allgemein 19
der/die Alliierte, -n 64
allmählich 72
die Alltagserfahrung, -en 79
die Alltagskultur (Sg.) 64
die Alm, -en 78
die Alpen (Pl.) 59
Alt und Jung (jedermann) 72
das Altenheim, -e 72
altern 74
die Alterung (Sg.) 75
der Anbieter, - / die Anbieterin, -nen 25
anfangs 72
das Anfangsjahr, -e 32
die Anforderung, -en 19
angeblich 65
der Angriff, -e 79
an·haben 20
an·kommen (auf): Es kommt darauf an, ... 29
die Anlage, -n 19
der Anlass, ¨e 52
an·nähern (sich) 37
an·nehmen 18
an·preisen 53
die Anschaffung, -en 83
anscheinend 73
der Anschlussflug, ¨e 81
an·transportieren 50
an·treiben 44
die Anwaltskanzlei, -en 18
anwesend 75
die Anzahl (Sg.) 65
an·zünden 72
die Apfelsine, -n 24
appetitlich 24
der Applaus (Sg.) 62
die Aprikosentorte, -n 48
die Aquakultur (Sg.) 77
die Aquaponik (Sg.) 77
der Aquaponik-Container, - 77
die Aquaponik-Farm, -en 77
das Aquaponik-Konzept, -e 77
der Arbeitgeberwechsel, - 21
der Arbeitsablauf, ¨e 18
die Arbeitsaufgabe, -n 21
die Arbeitsgenehmigung, -en 64
die Arbeitslosigkeit (Sg.) 37
die Arbeitsplatzgarantie, -garantien 64
der Arbeitsstil, -e 18
die Arbeitsumgebung, -en 59
der Arbeitsweg, -e 94
die Arbeitsweise, -n 18
das Argument, -e 68
die Argumentationstechnik, -en 14
arrangieren 44
die Art, -en 59
die Atemübung, -en 14
das Atomkraftwerk, -e 37
der Audioguide, -s 63
die Audioguide-Sequenz, -en 64
auf·frischen 15
das Aufgabengebiet, -e 18
aufgeregt (sein) 30
auf·heben 38
die Aufräumaktion, -en 38
aufrecht 80
auf·regen 87
auf sein (wach sein) 51
der Aufstieg, -e 43
auf·teilen 65
auf·treten 54
der Auftritt, -e 8
die Auftrittsmöglichkeit, -en 56
aufwärts·gehen 28
auf·wecken 50
die Aufzählung, -en 22
augenblicklich 10
der Augsburger, - / die Augsburgerin, -nen 55
der Ausbau (Sg.) 68
aus·bauen 14
aus·brechen 32
die Ausfahrt, -en 54
aus·führen 61
die Ausgangsrechnung, -en 18
aus·kommen 75
aus·lösen 93
die Ausnahme, -n 79
aus·reichen 50
ausreichend 50
aussagekräftig 18
aus·schlafen 62
ausschließlich 18
der Außenminister, - / die Außenministerin, -nen 43
die Außenpolitik (Sg.) 43
aus·setzen 61
die Aussprache (Sg.) 10
aus·stellen 32
das Ausstellungsverbot, -e 33
aus·tauschen 54
das Autogramm, -e 54
die Autorin, -nen 66
der Autoverkehr (Sg.) 73
die Avocado, -s 9
der Bach, ¨e 46
das Backen 48
der Backkönig, -e / die Backkönigin, -nen 48
der Banker, - / die Bankerin, -nen 80
barrierefrei 72
das Basilikum, -s 77
die Basiskenntnisse (Pl.) 19
der Bau (Sg.) 65
der Bauer, -n / die Bäuerin, -nen 46
der Bauingenieur, -e / die Bauingenieurin, -nen 41
die Baustelle, -n 38
der Beamte, -n / die Beamtin, -nen 11
beanspruchen 59
die Beauftragung (Sg.) 18
das Becken, - 77
die Bedeutung, -en 9
die Bedingung, -en 59
beeindrucken 33
befürworten 74
die Begabung, -en 10
der Behälter, - 14
behandeln 57
das Beherrschen 18
die Behinderung, -en 42
beißen 10
der Beitritt (Sg.) 65
bekannt geben 90
bekriegen 80
beladen 23
belegen 15
bellen 79
die Belohnung, -en 50
bemühen (sich) 69
benötigen 14
bereit 72
die Bereitschaft (Sg.) 18
bereit·stellen 56
der Bergblick, -e 52
die Berghütte, -n 50
die Bergtour, -en 50
das Bergwandern 49
die Bergwanderung, -en 49
berufstätig 87
die Besatzung (Sg.) 64
die Besatzungszone, -n 64
die Beschwerde, -n 75
besetzen 64
die Besetzung (Sg.) 43
die Besichtigung (Sg.) 77
der Besichtigungstermin, -e 77
der Besitz (Sg.) 28
die Besonderheit, -en 25
besorgen 81
der Besuchertag, -e 77

WORTLISTE

betragen 40
betreten 41
betreuen 38
die Bewegung, -en: in Bewegung setzen 59
bewerben (sich) um 19
das Bewerben 26
das Bewerbungsgespräch, -e 17
das Bewerbungsschreiben, - 17
bewirtschaften 50
bezeichnen (sich) 21
das Beziehungsproblem, -e 28
der Bezug, ¨-e: Bezug nehmen auf 47
die Bibel, -n 79
die Biene, -n 46
der Bienenstock, ¨-e 74
der Bilanzbuchhalter, - / die Bilanzbuchhalterin, -nen 18
die Biografie, Biografien 31
das Bio-Hotel, -s 41
die Biologie (Sg.) 38
die Bio-Metzgerei, -en 72
das Bioprodukt, -e 73
das Blatt, ¨-er 72
der Blickkontakt, -e 14
blind 79
der/die Blinde, -n 26
die Blüte, -n 47
das Blumenstillleben, - 32
die Bombe, -n 41
die Bootstour, -en 58
böse (sein) 10
boykottieren 36
(das) Brandenburg 59
die BRD (Bundesrepublik Deutschland) 35
breit 68
die Bremse, -n 68
der Briefträger, - / die Briefträgerin, -nen 22
der Buchhalter, - / die Buchhalterin, -nen 18
die Buchhaltung (Sg.) 18
die Buchung, -en 18
bücken 80
(das) Bündnis 90 / Die Grünen 36
die Bürgerbeteiligung, -en 39
die Bürgerinitiative, -n 36
der Bundeskanzler, - / die Bundeskanzlerin, -nen 35
die Bundes-SPD 43
der Bundesstaat, -en 65
der Buntbarsch, -e 77
der Burger, - 54
die Bushaltestelle, -n 63
der Callcenteragent, -en / die Callcenteragentin, -nen 18
die CDU (Christlich Demokratische Union) 36
die Chancengerechtigkeit (Sg.) 25
das Chorsingen 14
christlich 37
die Computerkenntnisse (Pl.) 19
der Computerkurs, -e 25
der Container, - 77
die CSU (Christlich-Soziale Union in Bayern) 36
die Damenkunstschule, -n 32
der Damm, ¨-e 59
dankbar 42
die Dankbarkeit (Sg.) 38
das Dankeschön (Sg.) 54
daraufhin 10
dar·stellen 46
dasselbe 48
die Datei, -en 81
die Datenbank, -en 20
die Datenpflege (Sg.) 18
der Datenschutz (Sg.) 36
die Datsche, -n 64
der Daumen, - 54
die DDR (Deutsche Demokratische Republik) 35
der DDR-Bürger, - / die DDR-Bürgerin, -nen 64
die DDR-Regierung (Sg.) 41
der Deckel, - 94
die Demokratie, Demokratien 25
der Demonstrant, -en / die Demonstrantin, -nen 38
die Demonstration, -en 36
demonstrieren 39
die Depression, -en 32
desto: je ... desto ... 45
deswegen 9
deutlich 87
die Deutschkarriere, -n 76
die Deutschkenntnisse (Pl.) 18
das Deutschlandspiel, -e 61
der Dialekt, -e 10
der Dichter, - / die Dichterin, -nen 22
Die Linke 36
der Diebstahl, ¨-e 34
dienen 25
dieselbe 48
die Diskretion, -en 18
die Diskussion, -en 40
die Diskussionssendung, -en 70
die Distanz, -en 73
der Dolmetscher, - / die Dolmetscherin, -nen 18
die Dorfbeschreibung, -en 91
das Dorfcafé, -s 73
drehen (sich) 68
die Droge, -n 34
der Drogenbesitz (Sg.) 34
(das) Dur (Sg.) 62
durch·fallen 81
eben 44
die Ehe, -n 29
das Ehrenamt, ¨-er 38
der/die Ehrenvorsitzende, -n 43
der Eiffelturm (Sg.) 65
die Eigeninitiative, -n 18
eigenverantwortlich 18
der Einblick, -e 13
der Eindruck, ¨-e 14
einfließen lassen 73
der Einfluss, ¨-e 33
ein·führen 39
die Einführung, -en 25
die Eingangsrechnung, -en 18
ein·halten 36
die Einheit, -en 35
das Einkaufen 68
ein·kehren 41
einmalig 59
der Einmarsch, ¨-e 65
ein·marschieren 65
die Ein-Parteien-Diktatur, -en 64
ein·prägen 11
ein·schließen 64
ein·setzen (sich) 33
einst 41
ein·stecken 90
der Einsteiger, - / die Einsteigerin, -nen 14
die Einstellung, -en 21
das Einstiegsgehalt, ¨-er 21
der Eintrittszeitpunkt, -e 18
einwandfrei 26
ein·zahlen 92
die Einzelheit, -en 72
die Einzelperson, -en 70
die Eisenbahn, -en 94
die Eisenbahnschiene, -n 59
das Eiweiß, -e 77
das Elektroauto, -s 72
das Elternhaus, ¨-er 28
die Emotion, -en 80
der Empfang, ¨-e 55
empfangen 32
die Energie, Energien 68
energiesparend 72
engagieren (sich) 38
die Englischkenntnisse (Pl.) 18
die Entdeckungsreise, -n 16
entfernen 68
die Entfernung, -en 74
entgegen 54
die Entlassung, -en 75
die Entscheidungshilfe, -n 37
entschlossen (sein) 30
die Entstehung (Sg.) 46
entwickeln 19
die Entwicklungsabteilung, -en 19
das Erbe (Sg.) 32
die Erfassung (Sg.) 18
die Erhaltung (Sg.) 47
erhöhen (sich) 75
erholen (sich) 41
die Erklärung, -en 86
die Erledigung, -en 18
ernähren (sich) 78
der Ernährungstipp, -s 25
ernennen 43
die Ernte, -n 29
das Erntefest, -e 41
das Ersatzteil, -e 68
erschöpfen 54
erschrecken (sich) 10
erst mal 54
die Erstellung (Sg.) 18
das Erststudium, -studien 37
die Erwachsenenbildung (Sg.) 16
die Erzählung, -en 23
die Erziehung (Sg.) 29
die Essigsoße, -n 9
etabliert 37
die EU (Europäische Union) 64
ewig 74
das Exil, -e 43
das Experiment, -e 66
die Expo, -s 66
extern 18
der Extremfall, ¨-e 59
exzellent 18
die Fabel, -n 79

der Fachtext, -e 18
der Fahrer, - / die Fahrerin, -nen 56
die Fahrgemeinschaft, -en 94
das Fahrrad, ¨-er 67
das Fahrradfahren 68
fahrradfreundlich 68
der Fahrradschuppen, - 72
die Fahrradstraße, -n 68
der Fakir, -e 80
fallen lassen 13
fällen 46
der Familienalltag (Sg.) 28
der Fan, -s 54
das Fantasiewort, ¨-er 12
die Fastnacht, -en 61
die FDP (Freie Demokratische Partei) 36
feindlich 32
die Fertigkeit, -en 15
fest 83
das Festnetztelefon, -e 44
das Festspiel, -e 58
fest·stehen 68
fest·stellen 69
filtern 77
die Finanzpolitik (Sg.) 85
die Fischaufzucht (Sg.) 77
flach 47
der Fleck, -e oder -en 20
fliehen 32
das Flirten 19
die Flucht (Sg.) 64
der Flüchtling, -e 41
folgend 48
fördern 15
fordern 65
die Forderung, -en 39
der Forscher, - / die Forscherin, -nen 85
die Forschung, -en 36
die Fragetechnik, -en 14
das Frauenwahlrecht (Sg.) 65
der Fremdsprachenkorrespondent, -en / die Fremdsprachenkorrespondentin, -nen 18
der Fremdsprachensekretär, -e / die Fremdsprachensekretärin, -nen 18
der Frieden (Sg.) 37
der Friedensnobelpreis, -e 43
friedlich 64
die Frische (Sg.) 77
die Fröhlichkeit (Sg.) 40
das Frühjahrsprogramm, -e 14
füreinander 72
fundiert 18
die Fußballmannschaft, -en 38
fußgängerfreundlich 68
die Fußgängerzone, -n 91
die Galerie, Galerien 32
gängig 18
die Garderobe, -n 55
der Gästebucheintrag, ¨-e 49
der Gastraum, ¨-e 50
das Gebäck, -e 54
gebildet 38
geboren werden 32
gebührenfrei 37
das Geburtsjahr, -e 34
die Gefahr, -en 14
das Gefängnis, -se 65
das Gefieder, - 80
die Gehaltsvorstellung, -en 21
geistig 14
das Gelingen (Sg.): Gutes Gelingen! 13
die Gemeinde, -n 59
gemeinschaftlich 74
der Gemeinschaftsgarten, ¨- 74
das Gemeinschafts-Wohnprojekt, -e 72
der Gemüseanbau (Sg.) 77
das Gemüsegratin, -s 94
die Generalprobe, -n 54
der Generationenkonflikt, -e 28
(das) Georgien 8
georgisch 8
geraten 50
die Gerechtigkeit (Sg.) 37
der Gesang, ¨-e 8
der Gesangs-Workshop, -s 8
die Geschäftskleidung (Sg.) 81
geschichtlich 63
die Geschichtsführung, -en 63
die Geschmacksrichtung, -en 14
die Geschwindigkeitsbeschränkung, -en 37
das Gesetz, -e 70
der Gesichtsausdruck, ¨-e 18
der Gesprächsabschluss, ¨-e 21
der Gesprächseinstieg, -e 21
das Gesprächsklima (Sg.) 14
die Gesprächsphase, -n 21
das Gesprächspuzzle, -s 33
das Gesprächsverhalten (Sg.) 14
gestalten 74
die Geste, -n 18
die Gestik (Sg.) 14
gestrig 54
das Gewächshaus, ¨-er 77
gewaltvoll 65
die Gewichtseinheit, -en 24
der Gewinn, -e 25
das Gewirr (Sg.) 54
gewissenhaft 18
gewöhnen 28
gießen 94
die Glasscherbe, -n 68
gleichberechtigt 33
die Gleichgültigkeit (Sg.) 67
das Glied, -er 80
die Globalisierung (Sg.) 75
die Gondel, -n 50
graben 79
der Grafiker, - / die Grafikerin, -nen 73
die Grammatikkenntnisse (Pl.) 15
das Gras, ¨-er 46
die Grenzöffnung, -en 64
das Großstadtgebiet, -e 55
die Grube, -n 79
der Grundbesitz (Sg.) 41
die Grundlage, -n 14
grundsätzlich 50
die Grundtechnik, -en 14
das Gruppenmitglied, -er 48
die Gurke, -n 77
das Gut, ¨-er 41
das Gute: Alles Gute! 76
das Gutshaus, ¨-er 41
der Gutshof, ¨-e 72
die Haftung (Sg.) 14
der Hahn, ¨-e 10
das Hallenbad, ¨-er 91
die Hallig, -en 59
handeln 38
die Handelsstadt, ¨-e 23
das Handwerk (Sg.) 18
der Handwerker, - / die Handwerkerin, -nen 22
der Handwerksbursche, -n 23
die Handyrechnung, -en 83
das Handyverbot, -e 51
hängen bleiben 50
die Hauptaufgabe, -n 19
das Haupthaus, ¨-er 41
hauptsächlich 78
die Hauptsaison, -s 47
das Häuschen, - 55
die Hausordnung, -en 49
die Heide (Sg.) 45
der Heidebauer, -n / die Heidebäuerin, -nen 46
das Heideblütenfest, -e 45
der Heidekönig, -e / die Heidekönigin, -nen 45
das Heidekraut (Sg.) 46
die Heidschnucke, -n 47
der Heimatfilm, -e 78
das Heimatmuseum, -museen 47
die Heimvolkshochschule, -n 25
der Heiratsantrag, ¨-e 32
heiter 57
das Heizen 69
heizen 87
der/die Helfende, -n 42
heraus·fordern 14
die Herde, -n 47
herum: um … herum 54
herum·reichen 54
herum·stehen 55
das Herz, -en: … liegt mir am Herzen 38
die Heumilch (Sg.) 78
die Heumilch-Kuh, ¨-e 78
das Heumilch-Produkt, -e 78
hierfür 59
hin- und her·fahren 62
das Hindernis, -se 72
hinein·fallen 79
hinzu·fügen 14
hoch gelegen 59
hoch·legen 38
die Höchstgeschwindigkeit, -en 40
der Höhenmeter, - 50
der Höhenunterschied, -e 59
der Höhepunkt, -e 46
das Holzruder, - 59
das Hüttenbuch, ¨-er 50
der Hüttenbucheintrag, ¨-e 50
die Hüttenregel, -n 50
der Hüttenschlafsack, ¨-e 50
der Hüttenwirt, -e / die Hüttenwirtin, -nen 49
die Hydroponik (Sg.) 77
der Imbiss, -e 50
indem 49
der Industriebetrieb, -e 70
die Industriekauffrau, -en / der Industriekaufmann, ¨-er 20

das Informations-Callcenter, - 18
die Infrastruktur, -en 68
der Inlandsflug, ¨-e 70
der Intensivkurs, -e 15
das Interessante 14
interkulturell 14
(der) Irak 14
irgendjemand 51
italienisch 25
der Jahresabschluss, ¨-e 18
der Jahrestag, -e 35
die Jeans, - 20
die Jugend (Sg.) 28
das Jugenderlebnis, -se 27
das Jugendzentrum, -zentren 53
junior 41
der Kahn, ¨-e 59
der Kaiserschmarrn (Sg.) 52
kämpfen 33
der Kanal, ¨-e 59
der Kandidat, -en / die Kandidatin, -nen 37
die Kanzlei, -en 18
der Kanzler, - / die Kanzlerin, -nen 93
die Käsesorte, -n 78
das Kaufhaus, ¨-er 91
kaufmännisch 18
kausal 12
die Kernenergie (Sg.) 36
kikeriki 72
klagen 75
das Klavier, -e 83
der Kletterkurs, -e 13
das Klettern 14
die Klimaerwärmung (Sg.) 72
der Klimaschutz (Sg.) 36
die Klingel, -n 68
knüpfen: Kontakt knüpfen 14
der Kochkurs, -e 25
der Kochprofi, -s 14
der Kochtag, -e 83
der Kochtipp, -s 25
der Kommandant, -en / die Kommandantin, -nen 41
das Kommunikationsmittel, - 18
der Komplex, -e 66
der Komponist, -en / die Komponistin, -nen 66
der Kompromiss, -e 72
die Kondition (Sg.) 68
der Konflikt, -e 72
die Konsequenz, -en 64
das Konservierungsmittel, - 78
der Konsum (Sg.) 68
die Kontierung, -en 18
der Konzertsaal, -säle 55
der Konzertveranstalter, - / die Konzertveranstalterin, -nen 54
die Koordination, -en 18
koordinieren 19
das Korn, ¨-er 79
körperlich 14
die Korrespondenz, -en 18
die Kosmetik (Sg.) 83
die Kostprobe, -n 14
das Kostümfest, -e 45
der Kraftfahrer, - / die Kraftfahrerin, -nen 43
kreuz und quer 54
die Kreuzung, -en 68
der Krieg, -e 28
das Kriegsende (Sg.) 64
die Kritik (Sg.) 72
krönen 55
der Kücheneingang, ¨-e 41
das Küchenhandtuch, ¨-er 14
die Küchenschürze, -n 14
kühlen 77
die Künstlerbiografie, -n 34
die Künstlergruppe, -n 32
künstlerisch 32
küssen (sich) 28
die Kuh, ¨-e 78
das Kulturfestival, -s 58
die Kundenbestellung, -en 18
die Kundenbetreuung (Sg.) 18
die Kundendaten (Pl.) 18
die Kundendatenbank, -en 18
der Kundentermin, -e 95
die Kunstakademie, -n 32
die Kunstführung, -en 63
der Kursabschluss, ¨-e 76
das Kursangebot, -e 13
der Kursbeginn (Sg.) 15
die Kursempfehlung, -en 15
der Kursinhalt, -e 25
das Kursprogramm, -e 13
der Kurstitel, - 25
kurz·halten 46
der Kurzüberblick (Sg.) 64
das Lachen 48
das Lampenfieber (Sg.) 54
die Landeshauptstadt, ¨-e 58
landesspezifisch 25
landestypisch 14
das Landhaus, ¨-er 32
der Landkreis, -e 41
die Landwirtschaft (Sg.) 46
landwirtschaftlich 72
langweilen (sich) 57
die Laufzeit, -en 37
lauter (nur / nichts als) 79
der Lautsprecher, - 55
die Lebenserfahrung, -en 79
die Lebensgefahr, -en 50
die Lebensgeschichte, -n 31
lebenslang 25
die Lebensmittelknappheit (Sg.) 64
die Lebensmittelkosten (Pl.) 25
leeren 59
legal 14
der Leichenwagen, - 23
das Leid (Sg.) 79
leiden 32
leisten (sich) 87
das Lernen 25
die Leseförderung (Sg.) 38
leugnen 68
der Liebling, -e 34
das Lieblingshobby, -s 8
das Lieblingsinteresse, -n 8
die Loyalität, -en 18
die Lüge, -n 28
die Luftbrücke (Sg.) 64
die Macht, ¨-e 75
die Mädchenband, -s 54
das Malen 26
der Maler, - / die Malerin, -nen 32
die Malerei (Sg.) 31
der Malerfreund, -e / die Malerfreundin, -nen 32
der Malkurs, -e 32
die Malschule, -n 32
die Malzfabrik, -en 77
der Marktplatz, ¨-e 91
das Matratzenlager, - 50
die Mauer, -n 32
der Mauerbau (Sg.) 65
die Maueröffnung (Sg.) 63
mediterran 25
das Mehrgenerationen-Haus, ¨-er 73
das Mehrgenerationen-Projekt, -e 74
die Mehrheit, -en 36
mehrjährig 18
meinetwegen 69
die Meinungsäußerung, -en 40
die Meinungsfreiheit (Sg.) 86
der Meister, - 79
die Menschenrechte (Pl.) 33
der Mieter, - / die Mieterin, -nen 24
die Mimik (Sg.) 14
die Minderheit, -en 36
der Minister, - / die Ministerin, -nen 36
der Misserfolg, -e 54
das Missverständnis, -se 9
missverstehen 10
mit·bestimmen 73
die Mitbestimmung (Sg.) 75
mit·denken 25
das Miteinander (Sg.) 73
die Mithilfe (Sg.) 47
das Mittel, - 51
die Mitternacht (Sg.) 29
mittlerweile 38
mit·wollen 10
die Mobilität (Sg.) 68
die Modalpartikel, -n 45
modernisieren 95
(das) Moll (Sg.) 62
der Monatsabschluss, ¨-e 18
die Montagsdemonstration, -en 64
das Moor, -e 46
das MS-Office-Paket, -e 18
mühsam 50
(das) Multimedia (Sg.) 14
die Musikbibliothek, -en 14
die Musikerin, -nen 55
das Musikfestival, -s 66
das Musikstück, -e 14
nach·erzählen 9
nach·fragen 9
nach Hause 62
die Nachbarschaftshilfe (Sg.) 42
das Nachbarschaftshilfe-Projekt, -e 42
nach·gehen: einer Frage nachgehen 36
nach·hören 55
nach·schlagen 92
nach·spielen 24
die Nachtruhe (Sg.) 50
die Nacht-Stadtführung, -en 60
der Nagel, ¨- 11
das Nähen 14
das Nähgarn, -e 14

QUELLENVERZEICHNIS

Cover: © Getty Images/Image Source

Seite 10: Hahn 2 x © Thinkstock/iStock; Schloss: Gebäude © Thinkstock/Goodshoot; Metall © Thinkstock/Creatas; Bank: Kreditinstitut © iStock/Alina Solovyova-Vincent; aus Holz © iStock/Alina Solovyova-Vincent; aus Holz © Thinkstock/iStock; Schlange: Tier © PantherMedia/Guido Glowacki; Menschen © Thinkstock/iStock; Übung 3b von links nach rechts: © Thinkstock/moodboard; © Thinkstock/Photodisc; © Thinkstock/iStock; © Thinkstock/Monkey Business

Seite 11: Nagel: Finger © fotolia/Tootles; Metall © Thinkstock/Zoonar; Birne: Obst © Thinkstock/iStock; Licht © Thinkstock/Hemera; Leiter © Thinkstock/Photodisc; Kursleiter © Thinkstock/Stockbyte; Schalter: Behörde © Thinkstock/Photodisc; Licht © fotolia/Denis Junker

Seite 14: © Thinkstock/iStock

Seite 16: © Thinkstock/iStock

Seite 23: alle © MHV-Archiv/Kannitverstan AMSTERDAM JOHANN PETER HEBEL GESCHICHTE MÜNCHENER BILDERBOGEN

Seite 24: Clip 5 © Ingrid Plank, Deutschkurse bei der Universität München

Seite 25: oben © Volkshochschule Mönchengladbach; Mitte © Thinkstock/Blend Images; unten © Thinkstock/iStock/Nikolay Trubnikov

Seite 32: Galerie © iStock/Silvia Jansen; Ausstellung @ Glowimages/KFS; Maler © fotolia/mangostock; Stillleben © Thinkstock/iStock; Landschaft © fotolia/PANORAMO; Hügel, Mauer © Thinkstock/iStock; Landschaft mit weißer Mauer, Gabriele Münter © dpa picture-alliance/A. Koch; Münter und Kandinsky © Glowimages/Fine Art Images

Seite 33: Kunstakademie © iStock/Christopher Futcher; Farbe © fotolia/djama; Form © Thinkstock/Dorling Kindersley RF; Zeichnung, Skizze, Pinsel © Thinkstock/iStock; Bleistift © Thinkstock/Image Source; Münter © Glowimages/Fine Art Images; Russenhaus © PantherMedia/Eberhard Starosczik

Seite 35: © dpa Picture-Alliance/Tim Brakemeier

Seite 36: Kernenergie © iStockphoto/Tjanze; Windenergie, Datenschutz, Bildung, Forschung © Thinkstock/iStock; Umweltschutz © Thinkstock/Hemera; Tierschutz © fotolia/Tanja Bagusat; Parteien: © SPD Parteivorstand; © Bundespartei BÜNDNIS 90/DIE GRÜNEN http://www.gruene.de/startseite.html; © CDU; © Christlich-Soziale Union in Bayern e.V.; © FDP-Bundesgeschäftsstelle; © Bundesgeschäftsstelle der Partei DIE LINKE

Seite 37: Frieden, Gesundheit, Steuern, Sicherheit © Thinkstock/iStock; Arbeitslosigkeit © Thinkstock/Zoonar; Kinderbetreuung © PantherMedia/Tatyana Okhitina; Wirtschaft © PantherMedia/Jörg Röse-Oberreich

Seite 38: Kernenergie © iStockphoto/Tjanze; Windenergie, Datenschutz, Bildung, Forschung © Thinkstock/iStock; Umweltschutz © Thinkstock/Hemera; Tierschutz © fotolia/Tanja Bagusat; R. Doebel © iStockphoto/STEVECOLEccs; T. Mattsen © iStockphoto/Neustockimages; J. Krämer © Thinkstock/iStock; S. Witthoeft; I. Pichler © Thinkstock/Fuse

Seite 39: Frieden, Gesundheit, Steuern, Sicherheit © Thinkstock/iStock; Arbeitslosigkeit © Thinkstock/Zoonar; Kinderbetreuung © PantherMedia/Tatyana Okhitina; Wirtschaft © PantherMedia/Jörg Röse-Oberreich; Stadtpark © Thinkstock/iStock

Seite 41: Oben und Mitte © Hotel Gutshaus Stellshagen; unten © Thinkstock/iStockphoto

Seite 42: © Mingamedia Entertainment GmbH, Unterföhring

Seite 43: oben © SuperStock/Glowimages; Mitte © Glowimages/Keystone Archives; unten © Glowimages/Jewish Chronicle

Seite 45: © Saskia Schutter, Schneverdingen

Seite 46: Heide, Biene, Honig © Thinkstock/iStock; Moor, Bach © Thinkstock/Hemera; Gras © Thinkstock/AbleStock.com/Getty Images; Bauer © Thinkstock/Monkey Business; Karte © Digital/Widsom; Hintergrund © Thinkstock/iStock

Seite 47: Wolle, Schaf, Herde, Pflanze, Acker, Blüte, Pferd © Thinkstock/iStock; Vieh © Thinkstock/Valueline; Übung 6a © Thinkstock/iStock; Übung 6b © Archiv Verein Naturschutzpark e.V.

Seite 50: Hütte, Terrasse © Thinkstock/iStock; Proviant © fotolia/ankiro; Aussicht © fotolia/rcaucino; Decke © iStock/gmnicholas; Schlafsack © iStock/dlewis33; Übung 3 © Thinkstock/Goodshoot

Seite 51: Ohrstöpsel © fotolia/thingamajiggs; Stiernlampe; Stirnlampe © fotolia/Dan Race; Deckenlicht, Gondel © Thinkstock/iStock; Tal © Panther-Media/Jens Ickler

Seite 52: © PantherMedia/Josef Müller

Seite 54: Essen © fotolia/Dieter Brockmann; Basel © Thinkstock/iStockphoto

Seite 55: Augsburg © fotolia/Klaus Bäth

Seite 57: Ruhrgebiet © Thinkstock/iStock; Weingut Basel © iStock/Rchang; Augsburg © Thinkstock/iStock/manfredxy

Seite 58: Bregenz © PantherMedia/Wolfgang Cibura

Seite 59: Friede Nissen © gaestehaus-neuwarft.de/Friede Nissen; Andreas Oberauer, Andrea Bunar © Deutsche Post AG

Seite 60: Bilder Stadtdetektive © Mingamedia Entertainment GmbH, Unterföhring, Logo die Stadtdetektive © Astrid Herrnleben

Seite 61: Karte © Digital Wisdom
Seite 62: Karte © Digital Wisdom
Seite 65: Eiffelturm © fotolia/axeldrosta
Seite 66: Bleibtreu © iStock/EdStock; Expo 2000 © PantherMedia/Stefan Dubil; Mozart © Thinkstock/Getty Images
Seite 67: A © fotolia/Jason Vosper; B © fotolia/drob; C © Thinkstock/iStock; D © Phantom Lightning von RECUMBENT; Übung 2: 1 © Thinkstock/iStock; 2 © Thinkstock/moodboard; 3 © Thinkstock/Stockbyte; 4 © Thinkstock/iStockphoto
Seite 68: Umweltschutz © Thinkstock/Hemera; Umweltverschmutzung © Thinkstock/iStock/pierredesvarre; Energie, Konsum © Thinkstock/iStock; Ernährung © Thinkstock/liquidlibrary/Getty Images; Übung 3 © Thinkstock/Digital Vision
Seite 69: Strom, Wasser, Heizen, Transport, Müll © Thinkstock/iStock
Seite 74: © Thinkstock/Comstock
Seite 76: MHV-Archiv
Seite 77: alle © ECF Farmsystems, Berlin
Seite 78: alle © brennweit medienproduktion, 2012, freundlicherweise von ARGE Heumilch Österreich zur Verfügung gestellt
Seite 94: Nadine © fotolia/Stefan Körber; Moritz © fotolia/Patrizia Tilly

Alle übrigen Fotos: Florian Bachmeier, München

Systemvoraussetzungen Lerner-DVD-ROM (Mindestanforderung):

Windows
x86-kompatibler Prozessor mit mindestens 2,33 GHz oder Intel® Atom™ mit mindestens 1,6 GHz für Netbooks

Microsoft® Windows® XP, Windows Server® 2008, Windows Vista® Home Premium, Business, Ultimate oder Enterprise (auch 64 Bit) mit Service Pack 2, Windows 7 oder Windows 8 Classic.

512 MB RAM (1 GB empfohlen)

Mac OS
Intel Core Duo™ 1,83 GHz oder schnellerer Prozessor

Mac OS X Version 10.6, 10.7, 10.8 oder 10.9

512 MB RAM (1 GB empfohlen)

Auf dieser DVD-ROM wird folgendes Programm mitgeliefert: Air Runtime

Zusätzliche Voraussetzung:
450 MB freier Festplattenspeicher